La Pensée française
au XVIIIe *siècle*

DU MÊME AUTEUR

A LA MÊME LIBRAIRIE

Les Sciences de la Nature en France au XVIIIᵉ siècle. 1911.

Les origines intellectuelles de la Révolution française. 5ᵉ éd., 1954.

Histoire de la Littérature française classique (1660-1700) : ses caractères véritables, ses aspects inconnus. 4ᵉ éd., 1950.

CHEZ DIVERS ÉDITEURS

Le sentiment de la Nature en France, de J.-J. Rousseau à Bernardin de Saint-Pierre. Paris, Hachette, 1907 (épuisé).

L'Alexandrin français dans la deuxième moiti du XVIIIᵉ siècle. Toulouse, Privat, 1907 (épuisé).

J.-J. Rousseau. Morceaux choisis publiés avec une introduction et des notes. Toulouse, Privat ; Paris, Didier.

Rome et les Romains (Littérature, histoire, antiquités), en collaboration avec M. H. Bornecque, Paris, Delagrave.

Tranchées de Verdun. Paris, Berger-Levrault, 1918.

Le Romantisme en France au XVIIIᵉ siècle. Paris, Hachette, 3ᵉ éd., 1933.

Le XVIIIᵉ siècle (de 1750 à 1789), dans l'*Histoire de la littérature française,* publiée sous la direction de J. Bédier et de P. Hazard. Paris, Larousse, 1924.

Histoire Générale de la Littérature française. Paris, Larousse. (Deux parties qui peuvent se vendre séparément sous les titres de : *Histoire de la Littérature et de la pensée françaises ; — Histoire des grandes œuvres de la Littérature française.*)

J.-J. Rousseau : La Nouvelle Héloïse. Éd. historique et critique *(Coll. des Grands Écrivains de la France).* Paris, Hachette, 1925-1926, 4 vol.

Histoire de la Littérature et de la Pensée françaises contemporaines (1870-1925). Paris, Larousse, 1927.

Histoire de la Clarté française. Ses origines, son évolution, sa valeur. Paris, Payot, 1929.

La Nouvelle Héloïse, de J.-J. Rousseau (Coll. *Les Chefs-d'œuvre de la littérature expliqués*). Paris, Mellotée.

Introduction à l'étude des écrivains français d'aujourd'hui. Paris, Boivin, 1939.

J. Racine : Théâtre, avec introduction, notes et commentaires. Paris, Mellotée.

Cours pratique de composition française. Paris, Larousse.

La Littérature française enseignée par la dissertation. Paris, Larousse.

Diderot. L'homme et l'œuvre. Paris, Boivin, 1941.

Nicolas Boileau. Paris, Aux Armes de France, 1942.

Molière. Paris, Boivin, 3ᵉ éd., 1943.

Jean Racine. Paris, Aux Armes de France, 1944.

Andromaque (Coll. *Les Chefs-d'œuvre de la littérature expliqués*). Paris, Mellotée, 1947.

COLLECTION ARMAND COLIN
(Section de Langues et Littératures)

La
Pensée française
au XVIIIe siècle

par

Daniel MORNET

Professeur honoraire à la Sorbonne

10e ÉDITION

LIBRAIRIE ARMAND COLIN
103, Boulevard Saint-Michel, PARIS

—

1962

AVERTISSEMENT

Je ne me suis pas proposé dans cet ouvrage, qui devait être bref, de publier une nouvelle histoire sommaire de la littérature du XVIIIe siècle. Cette histoire existe dans les histoires générales de la littérature française ; je l'ai moi-même écrite ; et je n'avais pas la prétention, en 220 pages, de la renouveler. Par contre on n'a pas donné d'histoire méthodique et suivie de la pensée française. Les tableaux qu'on en a tracés restent nécessairement confus parce qu'il s'y mêle l'histoire de l'art, du goût, des tempéraments, parce que l'étude des génies originaux fait perdre un peu de vue celle des courants généraux de la pensée, des mouvements d'opinion ; ou bien ces tableaux sont incomplets et partiaux ; du moins je crois qu'ils le sont. J'ai donc tenté d'écrire l'histoire non plus de quelques grands hommes ou de « genres littéraires », mais de la vie intellectuelle et morale de la nation, de 1700 environ à 1789.

J'ai tâché d'être, de mon mieux, un historien impartial. Je n'ai jamais voulu dire (sinon, sans le vouloir) : « ces choses furent bonnes, ou mauvaises », mais seulement : « voici ce que furent les choses ». C'est au lecteur à en tirer les conclusions qui lui conviennent.

J'ai supposé connus du lecteur les grands faits de l'histoire littéraire du siècle et le sens général des œuvres essentielles. Il m'était impossible de les rappeler sans rompre constamment le cours de l'exposé. Toutefois les ouvrages de cette collection s'adressent même à ceux qui ignorent — ou ont oublié — les éléments du sujet auquel ils veulent s'initier. J'ai donc fait précéder mes chapitres d'indications succinctes, mais suffisantes, sur la vie et l'œuvre des principaux auteurs dont la pensée est analysée. Un court index alphabétique permet de retrouver la notice de chacun de ces auteurs.

LA PENSÉE FRANÇAISE
AU XVIIIᵉ SIÈCLE

PREMIÈRE PARTIE

LES SURVIVANCES DE L'ESPRIT CLASSIQUE

CHAPITRE PREMIER

LES DOCTRINES LITTÉRAIRES

NOTICE HISTORIQUE : Au XVIIIᵉ siècle le grand poète dramatique et épique, c'est Voltaire. Même, jusque vers 1750, beaucoup de lecteurs ignorent ou feignent d'ignorer qu'il est philosophe pour ne se souvenir que de ses « chefs-d'œuvre » poétiques.

VOLTAIRE (anagramme de Arouet-l [e] J [eune]) naît à Paris en 1694. Son père lui laisse quelque fortune et il se lance dans la vie mondaine et la littérature. Il fait jouer avec grand succès, en 1719, la tragédie d'*Œdipe*. Quelques impertinences et une querelle avec le chevalier de Rohan le font exiler en Angleterre (1726-1729). A son retour, il fait jouer, glorieusement, de nouvelles tragédies, *Brutus* (1730), *Zaïre* (1732) et donne un bon ouvrage d'histoire, sérieusement documenté, l'*Histoire de Charles XII*. Puis il résume ses expériences d'Angleterre et les leçons de philosophie qu'il y a prises dans les *Lettres philosophiques* (1734). Le livre est poursuivi et Voltaire se réfugie à Cirey, chez la marquise du Châtelet. Il remporte toujours de grands succès au théâtre avec *Alzire* (1736), *Mérope* (1743), etc... Pendant quelques années il tente à nouveau les succès officiels et la vie de cour, est nommé gentilhomme de la chambre, historiographe de France, académicien. Jaloux de Crébillon, il fait jouer trois tragédies (*Sémiramis*, *Rome sauvée*, *Catilina*) pour rivaliser avec les siennes. Mais ses impertinences inquiètent. Il se sent suspect et accepte l'invitation de Frédéric II. Il arrive à Potsdam en 1750. [Pour la deuxième période de la vie de Voltaire, voir p. 35].

Parmi les autres auteurs tragiques du XVIIIᵉ siècle, un seul mérite d'être mentionné, non pour son mérite, mais pour l'admiration qu'il suscita, c'est Crébillon (1674-1762) qui mit à la mode des tragédies de « terreur » : *Atrée et Thyeste* (1707), *Électre* (1708), *Rhadamiste et Zénobie* (1711), etc...

Les principaux auteurs comiques sont : Regnard (1655-1709) qui a laissé des comédies toujours amusantes par leur verve et leur esprit : *Le Joueur* (1696), *Les Folies amoureuses* (1704), *Le Légataire universel* (1708) ; Lesage (1688-1747) qui écrivit de très nombreuses pièces pour le théâtre italien et une bonne comédie de mœurs, *Turcaret* (1709), où il raille durement la sottise féroce des financiers ; Dancourt (1661-1725) qui a laissé des pièces de style et de conduite médiocres, mais où il y a une peinture assez puissante des mœurs contemporaines (*Le Chevalier à la mode*, *Les Bourgeoises de qualité*, *Les Agioteurs*, etc...). (Pour les comédies de Marivaux, voir p. 16).

Les principaux romanciers sont : Lesage dont *Le Diable boiteux* (1707) est imité d'assez près d'un roman espagnol de Guevara. Son roman de *Gil Blas* (1715-1747) imite également plusieurs ouvrages espagnols ; c'est un roman d'intrigue fantaisiste et compliquée, mais où il y a un caractère vivant, celui de Gil Blas, et de pittoresques peintures de mœurs. L'abbé Prévost (1697-1763) a mené une vie d'aventurier. Il était d'humeur fort inquiète. *Les Mémoires d'un homme de qualité* (1728-1731), son *Philosophe anglais ou les Mémoires de Cleveland* (1732) sont des romans d'intrigue fort romanesques, mais où il peint des âmes tourmentées et déjà romantiques. *Manon Lescaut*, histoire brève et vigoureuse, paraît en 1731. (Pour les romans de Marivaux, voir p. 16).

Vauvenargues (1715-1747) fut un officier obscur, qui rêva la gloire. Mais pendant la dure retraite de Prague (1742), il contracta des infirmités qui ruinèrent sa santé et le condamnèrent à l'inaction. Il mourut à trente-deux ans. Il a publié une *Introduction à la connaissance de l'esprit humain*, suivie de *Réflexions sur divers sujets* (1746).

L'instruction des collèges. — L'esprit du XVIII° siècle est évidemment très différent de l'esprit classique. Ni Voltaire, ni Diderot, ni Rousseau, ni Chénier lui-même n'auraient été compris par Boileau, Racine ou même La Fontaine. Pourtant tous les goûts et toutes les doctrines ne se sont pas renouvelés d'un seul coup. Il en est même qui se sont prolongés presque sans changement jusqu'à la Révolution, et qui l'ont traversée.

Ce sont ceux d'abord que les maîtres des collèges ont organisés et enseignés. On oublie trop souvent l'influence profonde que peuvent exercer ces maîtres lorsqu'ils sont convaincus qu'ils possèdent la vérité. Or, jusqu'en 1762, ce sont les Jésuites qui dirigent la majorité des collèges. Leur méthode d'enseignement est, en 1762, à peu près exactement celle de 1660. Les collèges de l'Université, ceux des Oratoriens, des Doctrinaires, etc... ont plus ou moins, dès 1740 ou 1750, marché avec le siècle. Après 1762, un vent de réforme soufflera à travers les maisons dont les Jésuites viennent d'être chassés ; nous montrerons l'importance de ces réformes. Pourtant certaines traditions, certaines convictions subsistent jusqu'à la fin du siècle, et au-delà ; et ce sont elles qui ont modelé sinon les philosophes du moins les poètes, les dramaturges et les « gens de goût » du XVIII° siècle.

Tout d'abord la fin de l'enseignement reste la « rhétorique ». Que cet enseignement soit purement latin, comme chez les Jésuites, qu'il fasse sa place au français, comme chez les Oratoriens et un peu partout après

1762, il s'achève dans les règles de la rhétorique et les discours ou amplifications qui les appliquent. L'esprit de cette rhétorique est qu'on n'écrit pas pour exprimer ce que l'on sent, ni même ce que l'on pense ; il n'est pas nécessaire d'avoir des impressions ou des opinions. Les sujets proposés sont : « Un jeune homme doit désirer de mourir — Les remords qui agitèrent Néron après le meurtre de sa mère ». Quand Diderot entre au collège d'Harcourt, le premier sujet qu'il traite est le « discours que le serpent tient à Ève quand il veut la séduire ». A quatorze ans, ou à dix-huit, on ne songe généralement ni à la mort à la fleur de l'âge, ni aux remords des parricides. Mais peu importe. D'autres y ont songé qui s'appellent Virgile, Tacite ou Bossuet ou Massillon. Il suffit d'abord de *se souvenir* de ce qu'ils ont dit. Après quoi il suffit de mettre en œuvre, adroitement, ces souvenirs, c'est-à-dire d'appliquer les principes et les règles formulés par les maîtres de l'art, Cicéron, Quintilien, Boileau, le P. Rapin, et perfectionnés inlassablement par des générations de professeurs qui dictent leurs cahiers de rhétorique. La rhétorique, qui couronne l'enseignement secondaire (la classe de philosophie n'en fait pas partie), et cet enseignement tout entier n'apprennent jamais, ou presque, ni à s'interroger, ni même à réfléchir. Ils apprennent les pensées des autres et l'art de leur donner non pas le tour le plus original, mais « le plus parfait », c'est-à-dire le plus conforme aux règles. Écrire et penser, c'est imiter : imiter, pour le fond, les grands écrivains, de Virgile à Racine ou Mascaron — imiter pour la forme les préceptes des professeurs de l'art, de Cicéron à Boileau, au P. Buffier et à l'abbé Batteux.

L'enseignement finira, vers 1770 ou 1780, par se transformer profondément. Mais il se transformera dans ses intentions plus que dans ses résultats. La vieille rhétorique sera discutée, condamnée, injuriée souvent. Mais c'est elle qui continuera le plus souvent à régenter jusqu'aux philosophes et aux disciples des philosophes. Après 1762 on condamnera officiellement ces tragédies, ces comédies et ces ballets « frivoles » que les Jésuites faisaient représenter chaque année par leurs élèves. On mettra à leur place des exercices publics que nous connaissons bien par toutes sortes de « programmes » du temps. Mais qu'ils soient de l'Université ou des Oratoriens ou de maîtres indépendants, tous ou presque tous auraient pu être approuvés par des Jésuites de 1660. Les jeunes orateurs du collège de Bayeux plaident à quatre pour savoir « quelle est la situation la plus misérable, celle d'un statuaire privé de ses mains, d'un orateur privé de sa langue, d'un peintre de ses yeux, d'un jeune homme sourd ? ». Ils plaident en latin. Le collège de Bourges est plus moderne. Les élèves Sacrot, Masson et Delalande plaident en français. Et le sujet est d'actualité. On est au cours de la guerre des Russes contre les « Ottomans ». Les deux amis Alexiowits et Basilowits ont été faits prisonniers. Alexiowits est autorisé à venir consoler sa mère devenue aveugle à force de pleurer. Il a juré de revenir ; Basilowits est, sur sa tête, garant de son serment. La mère veut retenir son fils. Sacrot parle pour elle, Delalande pour Alexiowits. Masson pour Basilowits. Mais ces boyards ne sont pas plus russes que *Bajazet* n'est Turc. C'est un démarquage de l'histoire de Damon et Pythias. C'est la rhétorique traditionnelle.

Les « grands genres » poétiques. — On ne saura jamais si cette pédagogie a prolongé les goûts et doctrines littéraires ou si c'est la littérature qui a conservé sa force à cette pédagogie. Mais pédagogie et littérature s'appuient, et leurs forces de résistance, malgré la philosophie et les

« révolutions » du goût, deviennent invincibles. Jusqu'à
la Révolution, et après elle, les « grands genres » poétiques, tragédie, comédie, poème épique, poème descriptif,
odes sont écrits selon les règles enseignées par les collèges. Entre une tragédie du collège de Romorantin, une
ode du P. Labat et les tragédies de Voltaire ou les odes
de Lebrun-Pindare, il n'y a que la différence de quelques
degrés dans la médiocrité.

Voltaire a mis ou essayé de mettre bien des choses
nouvelles dans ses tragédies. Il s'est souvenu qu'il était
philosophe et qu'il convenait, en écrivant *Zaïre*, ou *Mahomet*, ou *Alzire*, ou *Les Guèbres*, de combattre le fanatisme et de défendre « l'humanité ». Il s'est aperçu que
ses contemporains se découvraient une âme sensible ;
donc, au lieu de tenir la balance égale entre la « terreur »
et la « pitié », il a de plus en plus cherché à écrire des
pièces « attendrissantes ». Il s'est aperçu aussi bien que
les spectateurs se lassaient et qu'il leur fallait un peu de
cette nouveauté qu'ils commençaient à trouver dans
Shakespeare, ou Lillo, ou Moore. Il a donc tenté sinon
tout, du moins toutes sortes de choses : la tragédie historique à grand spectacle et sans intrigue d'amour (*La mort
de César*) — la tragédie nationale (*Tancrède, Adélaïde
du Guesclin*), la tragédie exotique (*Alzire, L'Orphelin
de la Chine*). Il a voulu « parler aux yeux » et même
« secouer les nerfs » par des décors et des machines,
les écussons et oriflammes d'un tournoi, des chaînes,
un fantôme, des turbans et des cimeterres. Il a voulu
écrire des tragédies qui soient « neuves » et même « modernes ».

Mais il n'a rien écrit que de plats et froids exercices
de collège. Invinciblement, et peut-être parce qu'il
manquait tout à fait du génie dramatique, il a composé
Zaïre, ou *Tancrède* ou *Les Guèbres* comme il composait
au collège les « *remords de Néron* » ou le « *discours du*

serpent ». Invinciblement il s'est souvenu et de Corneille
et de Racine, voire de Thomas Corneille ou de Lamotte
Houdart. Les tirades ou les « mots » les plus éloquents
ou les plus naturels de son théâtre sont des centons ou
des démarquages. La « conduite » même de ses pièces
est dirigée par tous ceux qui ont raisonné sur les unités,
sur l'amour tragique, sur le « sublime ». Il surveille cette
conduite avec une application studieuse et tatillonne ;
il écoute tous les conseils et il les provoque ; il remanie et
retouche inlassablement. Mais il ne corrige jamais pour
être lui-même, pour créer de la vérité. Et ses hardiesses
apparentes ne sont que des copies de Corneille, de Crébillon, de Shakespeare et d'autres. Il met son style à la
même école méticuleuse et timorée. C'est du « beau
style » et du « grand style », c'est-à-dire que ce sont
les mots, les images et les tours d'un Racine surveillé et
corrigé par un maître de goût étroit et chicanier.

Là où Voltaire, ingénieux, avisé, ardent à la tâche,
échoue, les autres n'ont écrit que des platitudes ou des
sottises. Tous ou presque tous ont tenté la fortune du
théâtre et plus exactement même de la tragédie. C'est
la tragédie qui est le genre noble par excellence ; c'est
elle qui donne la gloire retentissante. Crébillon le père
qui n'avait nulle connaissance des âmes, qui manquait
exactement de goût ou même de jugement, fut longtemps célèbre pour avoir manié la « terreur » plus audacieusement que Corneille, pour avoir entassé dans des
tragédies « noires » les frénésies, les meurtres et les
imprécations. Un arriviste adroit comme Marmontel,
un appliqué comme Lemierre, un timide mélancolique
comme Colardeau, un brave homme comme de Belloy
de temps à autre « enlèvent les applaudissements ». Mais
qu'il s'agisse de la terreur d'*Hypermnestre*, de la pitié
de *Caliste*, du patriotisme du *Siège de Calais*, il n'est
toujours question que d'imiter ou tout au plus d'adapter

Corneille, Racine ou Voltaire, avec quelques « audaces »
qui sont des emprunts timides et maladroits à Shakespeare et au drame. Les meilleures tragédies sont des
œuvres de rhétoriciens.

On peut en dire autant de la comédie. Elle garde assez
souvent de l'intérêt pour l'historien. Dancourt, puis
Lesage nous ont laissé quelques tableaux pittoresques
et assez vigoureusement brossés d'une société où les
vices, adroitement conduits, commencent à donner les
profits et des honneurs. Le *Turcaret* de Lesage n'est pas
un chef-d'œuvre. Pourtant le financier retors et dupé
par l'amour a du relief ; il est vivant ; il reste un type
et non pas seulement un document. Mais la comédie
de mœurs elle-même disparaît peu à peu. Elle oblige
à observer par soi-même. On juge plus sûr et surtout
plus digne des Muses d'imiter, c'est-à-dire de peindre,
après Térence et Molière et d'après eux, des caractères.
La comédie de mœurs s'encanaille dans la comédie
populacière ou « poissarde » de Vadé. La comédie de
caractères s'efforce à peindre *Le Joueur* (Regnard), *Le
Méchant* (Gresset), le versificateur (*La Métromanie*, de
Piron), *Le Glorieux* (Destouches), et *Le Grondeur*, et
L'Irrésolu, et *Le Babillard*, et dix autres. Mais ce ne sont
plus que des silhouettes qui se ressemblent à peu près
toutes. Depuis les valets et les servantes qui sont exactement ceux de Molière et de la comédie italienne
jusqu'au « méchant » ou au « joueur », ce ne sont que des
bavards qui s'appliquent à réaliser une définition de
moraliste. Quand les régents de collèges écrivent un
« Dissipé » ou un « Nonchalant », pour les séances
solennelles, ils y mettent à peu près autant de vie et de
vérité que Piron ou Gresset dans leurs comédies.

La grande poésie, la poésie épique, est pire encore. On
a cru de bonne foi, au XVIIIᵉ siècle, qu'elle avait donné
un chef-d'œuvre, *La Henriade* de Voltaire. D'innombra-

bles éditions en ont, pendant un siècle, répandu la gloire. Elle est lue, citée, commentée dans les collèges ; on la donne en prix presque aussi souvent que les traités de l'abbé Batteux ou *Le Petit Carême* de Massillon. On croit vraiment qu'elle approche Homère et qu'elle balance Virgile. Et de fait, elle vaut bien Virgile : « elle en est ». Si on laisse de côté ce qui n'était pas dans « *le chantre de Mantoue* », c'est-à-dire l'éloge du roi « humain » et « tolérant », elle est faite tout entière de réminiscences et elle observe exactement toutes les règles. Quand elle n'est plus de Virgile, elle est de Lucain, ou du Tasse, ou de l'Arioste. Elle est de tout le monde sauf de Voltaire.

Le triomphe de Voltaire découragea à peu près les imitateurs. On eut, peut-être, un vague remords d'imiter le chef-d'œuvre de l'imitation. Et pour créer du nouveau, on imagina, vers 1760, le « poème descriptif ». Saint-Lambert écrivit *Les Saisons* (1769), Lemierre *La Peinture* (1769), Roucher *Les Mois* (1779), Delille *Les Jardins* (1782) et Chénier commença *L'Hermès* ou *L'Amérique*. On prétendit, bien entendu, y mettre des « pensers nouveaux », l'éloge de l'agriculture et de la nature, les découvertes des sciences, l'humanité et la bienfaisance, la justice et la tolérance. Mais on n'employa pour les chanter que les plus vieilles recettes des poétiques de collège.

La poésie lyrique descend encore d'un degré, s'il est possible. Au début du siècle, Jean-Baptiste Rousseau, lui aussi, fait figure d'homme de génie. Il ne sait en réalité qu'appliquer adroitement les procédés de la « poétique » du sublime. On le cite et le commente dans les collèges, comme on cite la *Henriade*, parce qu'il est au même titre que Voltaire un excellent élève. A la fin du siècle, c'est encore tout le mérite de Lebrun que ses contemporains, sans y mettre d'ironie, appelaient Lebrun-

Pindare. Lebrun avait réellement mis dans sa vie le désordre fantaisiste où l'on commençait à voir, vers 1780, le signe du génie. Mais il n'est rien passé dans ses odes et poèmes de cette belle indépendance. Les meilleurs sont agencés et copiés selon toutes les règles de la tradition scolaire.

Ainsi, malgré l'*Encyclopédie*, la philosophie et les « révolutions de la pensée », l'esprit classique, ou du moins un certain esprit classique subsiste à travers tout le siècle. C'est celui qui prétend faire de la littérature et du goût une science dont il suffit d'utiliser avec adresse les principes ou les recettes. Les collèges l'enseignent, à mesure que les écrivains puis les professeurs la perfectionnent. Les poètes n'ont plus d'autre tâche que de l'appliquer. Ils n'ont malheureusement mérité que des prix d'application.

Malgré une révolution politique, une révolution ou une rénovation religieuse, il faudra, pour vaincre définitivement la tradition classique, une dernière révolution, le romantisme.

Le roman d'analyse. — Il y avait, heureusement, un genre dont Aristote n'avait pas parlé, dont Cicéron ou Quintilien n'avaient rien dit, dont ni Virgile, ni Horace, ni aucun grand ancien n'avaient laissé de modèle, dont les régents ne parlaient pas parce qu'ils le tenaient pour frivole ou corrupteur : c'était le roman. Le roman n'était pas un grand genre. C'était surtout un divertissement. Ce fut là justement ce qui le sauva de la rhétorique et des règles. Il put tirer profit de l'esprit classique sans périr sous sa tyrannie. La littérature classique s'était évertuée à pénétrer les secrets ressorts des passions. Elle s'était vouée à la psychologie. Tout autant que Racine ou Molière ou La Rochefoucauld, Mme de La Fayette avait étudié les conflits de l'amour et du devoir, de la passion et de l'estime. Et ni Boileau, ni Rapin, ni Rollin, ni Batteux n'avaient songé à fixer les règles de cette analyse lorsqu'elle se faisait en prose et non en vers, dans un roman et non dans une tragédie. Ainsi Lesage, Marivaux, l'abbé Prévost, et à la fin du siècle Laclos, ont pu écrire des romans originaux et dont un seul est supérieur à tous les poèmes épiques, lyriques et tragiques du siècle.

Ce n'est pas, bien entendu, que tout soit classique dans leur œuvre. Dans le *Gil Blas* de Lesage il y a très souvent un dédain du « bon ton » et des strictes « bienséances », un goût de la caricature, et une verve populaire qui sentent la taverne et les « Joyeux devis » beaucoup plus que la cour, les salons, l'Académie ou les collèges. Lesage s'y met à l'aise, comme après boire, aux Porcherons. L'intrigue du roman s'y donne les mêmes libertés. Dans un roman, depuis *L'Astrée*, et si l'on en excepte *La Princesse de Clèves* et quelques autres, on voulait des surprises et du merveilleux plus que du naturel et de la vraisemblance. Les aventures de Gil Blas ne se font pas faute d'être invraisemblables. Celles de la plupart des héros de l'abbé Prévost, *Manon Lescaut* mise à part, le sont plus encore ; car elles mènent Cleveland, le doyen de Killerine et d'autres à travers des « *orages surprenants* » jusque chez les sauvages et dans les îles désertes. Par surcroît, ces héros de Prévost ont des âmes qui ne sont plus celles des héros classiques. Ils ont des « tristesses invincibles » et sans cause, un appétit de souffrir sans remède qui font d'eux les ancêtres lointains des Obermanns ou des Renés. Il n'y a rien de ces aventures singulières ni de ce romantisme chez Marivaux, mais on y trouve un « goût peuple » et des curiosités qui n'auraient plu ni aux salons du grand siècle, ni à Boileau. Sa Marianne vit chez une lingère et la lingère se dispute avec un « fiacre ». Son paysan parvenu est un paysan.

et qui parvient d'abord par une toute petite bourgeoise
peinte dans son exacte médiocrité.

Pourtant, malgré le réalisme, les complications d'intrigue ou le « ton noir », *Gil Blas, Manon Lescaut, La
Vie de Marianne, Le Paysan parvenu* sont des œuvres
classiques et leur mérite, qui est grand, est surtout un
mérite classique. Les héros y sont représentés exactement non pas tant dans leur costume, leurs gestes et
leurs manies physiques que dans leur costume moral,
les manies de leur caractère. Ils s'appliquent à se bien
connaître et à se bien expliquer. Et ils y réussissent,
parce que dans les périls ou dans les situations les
plus troubles ils restent capables de lucidité. Gil Blas
n'a guère de caractère ; il se laisse souvent conduire
par les événements. Mais il s'en tire, par sa bonne fortune, et aussi parce qu'il sait toujours ce qu'il est et
où il va. Marianne a tant de souci de se bien comprendre qu'elle semble constamment inventer des « finesses »
pour le plaisir d'en discerner les nuances. Le paysan
parvenu parvient parce qu'il sait très exactement se
servir de lui-même et des autres.

Par le roman, une des formes de l'esprit classique,
l'analyse psychologique, se perpétuera à travers tout le
XVIII° siècle pour aboutir aux *Liaisons dangereuses* de
Choderlos de Laclos et aux romans de Stendhal.

On retrouve enfin ce même goût d'analyse dans
l'œuvre de Vauvenargues. Tout n'y est pas classique, et
il y a loin de ces maximes à celles de La Rochefoucauld.
Vauvenargues est « stoïque » et non plus chrétien ; il
est passionné et non plus sceptique et cartésien. Il ne
met plus le prix de la vie dans les vertus de piété et le
prix de l'intelligence dans les idées claires. Une grande
âme, pour lui, se suffit à elle-même, sans Dieu ; et les
grandes âmes sont des âmes passionnées ; on peut même
concevoir une morale où chacun suivrait sa pente, sans

effort, avec sagesse. Pourtant tout l'effort de sa vie a été de se comprendre lui-même et son idéal est une volonté lucide. Il domine la sensibilité ; il ne s'y abandonne pas. Ses idées ne sont plus classiques, mais sa méthode l'est encore.

Chapitre II

L'ESPRIT MONDAIN

Notice historique : Les principaux salons sont, dans la première moitié du siècle, ceux de la duchesse du Maine (1700-1718) que fréquentent les « libertins » ; de la marquise de Lambert ; de Mme de Tencin, grande dame dont la vie fut d'abord fort aventureuse et qui prend la succession de Mme de Lambert ; de Mme du Deffand (à partir de 1730) qui n'aime guère, bien qu'elle soit tout à fait sceptique, les discussions philosophiques, mais chez qui se retrouve tout un groupe de philosophes, d'Alembert, Turgot, etc... Dans la deuxième moitié, les salons les plus connus sont celui de Mme Geoffrin ; puis les salons proprement philosophiques de Mlle de Lespinasse, lectrice de Mme du Deffand, fort séduisante, dont Mme du Deffand se sépare, par jalousie ; de Mme Helvétius, Mme d'Holbach (Voir, sur leurs maris, p. 36), de Mme d'Épinay, amie de Diderot, Grimm, Rousseau ; puis le salon de Mme Necker.

Marivaux (1688-1763) a passé sa vie à fréquenter les salons et à écrire ; il fut assidu chez Mme de Tencin, Mme Geoffrin. Il a fait jouer, le plus souvent avec grand succès, des pièces nombreuses soit à la Comédie italienne, soit à la Comédie française (*La Surprise de l'amour*, 1727 ; *Le Jeu de l'amour et du hasard*, 1730 ; *L'Ecole des Mères*, 1732 ; *Le Legs*, 1736 ; *Les Fausses confidences*, 1737, etc...). Il a rédigé des essais critiques et moraux publiés périodiquement (*Le Spectateur français*, 1722-1723, etc...). Ses romans sont : *La Vie de Marianne* (1731-1741), inachevé ; *Le Paysan parvenu* (1735), inachevé.

Dans les salons de la fin du siècle brillent des écrivains comme Chamfort (1741-1794), Rivarol (1753-1801) dont la réputation tient surtout à l'esprit brillant et caustique de leur conversation et à de courts essais, maximes, pensées, etc...

La vie mondaine. — Elle a tenu, au XVIIIᵉ siècle comme au XVIIᵉ, une place prépondérante. C'est d'abord, au moins jusqu'en 1762, l'instruction tout entière qui y préparait. Chez les Jésuites, on n'apprenait pas à gagner sa vie ; la rhétorique ne pouvait servir pratiquement qu'à des avocats ; on la complétait par l'art de vivre avec élégance. « Que faudra-t-il donc apprendre à mon fils ? », demande M. le marquis de la Jeannotière, nouveau riche. « A être aimable, répondit l'ami que l'on consultait ; et s'il sait les moyens de plaire, il saura tout ». Voltaire plaisante. Mais il est d'accord avec des gens sérieux. « Il semble que toute l'éducation qu'on donne aux jeunes gens, dit un traité de 1751, ne roule que sur la politesse ». On continue d'ailleurs, comme au XVIIᵉ siècle, à mettre la politesse mondaine en traités et dissertations. Malgré son dédain pour M. de la Jeannotière, Voltaire estime que « cette politesse n'est point une chose arbitraire..., c'est une loi de la nature que les Français ont heureusement cultivée plus que les autres peuples ». Lemaître de Claville, dans un *Essai sur le vrai mérite de l'homme*, qui fut très lu, place l'homme poli « immédiatement après l'âme noble et l'esprit sublime ». Ils sont d'accord avec vingt autres, avec des Jésuites comme le P. Brumoy, avec le sceptique d'Argens, le philosophe Toussaint, le grave Duclos. On écrit *L'Homme aimable* (de Marin, 1751), un *Essai sur la nécessité et les moyens de plaire* (de Moncrif, 1738).

Tous nos grands écrivains s'essaient d'ailleurs à plaire et la plupart s'y entêtent. Ils ont eu leur vie mondaine, et souvent elle a duré toute leur vie. La jeunesse de Voltaire est éperdument mondaine, et son château de Ferney sera, le plus souvent possible, un salon. Marivaux ne cesse d'être l'assidu de Mme de Lambert, de Mme de Tencin, de Mme du Deffand, de

Mme Geoffrin que pour mourir. Montesquieu deviendra
assez vite le châtelain solitaire de la Brède. Mais il
commence par être un des ornements des « bureaux
d'esprit », avec Lamotte et Fontenelle. Avant de faire
« sa réforme » et de s'enfuir à l'Ermitage, Rousseau
tente, pendant quinze ans, de faire sa fortune par la
voie la plus sûre, par les salons. Diderot ne se pique
pas de politesse et il goûte les « méditations solitaires »,
mais il semble aimer tout autant les salons de Mme de
Puisieux, de Mme d'Épinay, de Mme d'Houdetot,
de Mme Helvétius, du baron d'Holbach, de Mme Necker.
Duclos, d'Alembert sont vraiment des mondains.
Buffon ne vit pas toujours à Montbard, ni Turgot dans
son ministère. On les rencontre chez Fanny de Beau-
harnais, Mme Necker, Mme du Deffand, Mlle de Lespinasse, etc...

Les conséquences. 1º *La « galanterie ».* — Ce goût
ou même cette nécessité de la vie mondaine ont entraîné
des conséquences importantes. Avant d'être « philosophiques », ou même lorsqu'ils le seront, les salons
sont des salons ; c'est-à-dire qu'ils réunissent des hommes et des femmes (les jeunes filles n'y apparaissent
que rarement, et seulement vers la fin du siècle) riches,
désœuvrés, et qui viennent là, non pour « penser »,
mais pour se divertir. Le divertissement, c'est, avec la
comédie de société, la conversation. Mais cette conversation n'est elle-même divertissante que si les thèmes en
sont aimables. Et l'on aime surtout une chose dans
la vie mondaine, c'est aimer ou du moins parler d'amour.
On causera donc, non pas de la passion, qui est rebelle,
farouche et faite justement pour bouleverser tout le
bel ordre de la vie mondaine ; non pas de la sensualité
grossière et du plaisir brutal à la façon de Rabelais
ou de Beroald de Verville, mais de « galanterie ». La

« galanterie » est faite de deux choses fort différentes, mais qui prennent les mêmes apparences. C'est de la curiosité sentimentale, le plaisir de découvrir les « ressorts cachés » et les « mouvements secrets » des sentiments ; c'est la recherche du « fin du fin ». Plaisir de curiosité qu'on peut se donner même si l'on est une honnête femme. C'est celui que Mme de Tencin, qui ne se piquait d'ailleurs pas d'être honnête, offrait volontiers à ses hôtes : « On dit d'un amant : il ne la voit pas où elle est ; on dit d'un autre : il la voit où elle n'est pas ; lequel exprime la passion la plus forte ? ». La galanterie, c'est aussi, tout au moins dans ce xviii⁰ siècle, du plaisir sensuel sans pudeur ; mais avec une pudeur apparente, celle des mots. Il s'agit de parler de choses basses avec élégance et de distractions grossières avec distinction. Il faut donner au vice le ton de la bonne compagnie. Presque tous nos grands écrivains se sont exercés à l'une ou l'autre de ces deux galanteries, ou aux deux.

Marivaux a donné à la première sa forme la plus originale. Il y a assurément dans ses comédies autre chose que du marivaudage. Il y a parfois de la philosophie, et L'Ile de la raison ou L'Ile des esclaves discutent de l'égalité des conditions et des conventions sociales avec une liberté qui annonce Voltaire et parfois Rousseau. Même dans les comédies les plus sérieuses qui ne côtoient pas la farce ou la féerie, dans Le Préjugé vaincu ou Les Fausses confidences, c'est le préjugé des conditions que Marivaux met à la scène ; et il lui plaît de marier une fille noble et un roturier. Il n'est pas sûr pourtant que Marivaux ait pris cette philosophie très au sérieux. Son goût, c'est bien l'amour et l'amour galant. Entendons celui qui tire son prix non pas de sa violence et de son aveuglement délicieux, mais de sa délicatesse et de sa clairvoyance. C'est « l'amour-goût » qui n'envahit

pas les âmes pour des exaltations et des catastrophes,
mais qui y prend sa place en bousculant aimablement
ce qui jusque-là les emplissait. Cette intrusion, les amants
l'analysent et la discutent ; ils hésitent entre l'ordre
ancien et un ordre nouveau. Pour faire sa place à l'amour
il faut la prendre, par exemple, sur celle de l'amour-
propre, renoncer à l'orgueil de son rang, à sa réputation
de « petit-maître », à l'orgueil d'être « insensible ».

C'est là le « marivaudage », qui n'est pas tout entier
de l'invention de Marivaux, qui était déjà le goût des
Précieuses et que les conversations des salons n'avaient
pas cessé d'ébaucher. Marivaux y a mis seulement à la
fois plus de finesse et plus de justesse. Il a trouvé,
pour le traduire, un style qui n'est qu'à lui, où l'artifice
et le naturel, l'esprit et la candeur se mêlent avec une
adresse charmante. On a beaucoup discuté, au XVIIIᵉ
siècle, ce marivaudage. Ce fut un peu par dépit de ne
pouvoir l'imiter. Car beaucoup d'écrivains, incapables
de marivauder, ont cherché du moins à plaire par les
« délicatesses » du sentiment. *Le Temple de Gnide* de
Montesquieu est galant, comme sont galants certains
contes de Voltaire (*La Princesse de Babylone*, par exemple). Il y a de la galanterie jusque dans *La Nouvelle
Héloïse*, entre Saint-Preux et la cousine Claire, et parfois
même dans *L'Histoire naturelle* de Buffon. Surtout il
y a chez nos plus grands écrivains l'autre sorte de galanterie, celle qui consiste à dire « en termes galants » des
choses inconvenantes ou ordurières. C'est cette galanterie qui gâte les *Lettres persanes*, parfois l'*Esprit des
lois*, souvent les *Élégies* de Chénier et qui, si elle ne
gâte pas les contes et romans de Voltaire, ses pamphlets
ou son *Dictionnaire philosophique*, du moins n'ajoute
rien à leur prix.

2° *L'esprit.*— La seule excuse de ces inconvenances,
si l'on veut qu'elles en aient, c'est l'esprit. Et cet esprit

est né, lui aussi, au moins en partie, de la vie mondaine.
Ce n'est pas la verve populaire d'un Rabelais, ni le sarcasme, l'humour solitaire d'un Swift qu'on n'imitera que
pour le corriger ou l'adapter. C'est ce jeu de la pensée et
du style qui cherche non pas à dire les choses seulement
pour qu'on les comprenne, mais à les habiller aimablement, pour qu'on se plaise en leur compagnie. Il y a de
l'esprit, ou du moins l'intention d'en avoir, dans la
plupart des œuvres du xviiie siècle, dans celles mêmes
qui sont les plus graves et qui se donnent pour l'être.
« En Allemagne, en Angleterre, dit Voltaire, un physicien est physicien ; en France, il veut encore être plai-
sant ». Et on le lui conseille : « L'usage du monde, dit
le moraliste J.-F. Bernard, est absolument nécessaire
au savant ; sans cela on le confond avec le pédant ».
Le philosophe a les mêmes obligations que le savant :
« Ce que l'on appelle la philosophie des honnêtes gens —
et tout le monde se pique d'être honnête homme —
n'est autre chose que le secret d'allier la sagesse et
la gaieté... beaucoup de raison et un peu d'esprit ».
On a même préféré souvent beaucoup à peu. Les *Entretiens sur la pluralité des mondes* de Fontenelle mettent
l'astronomie à la portée d'une marquise et s'efforcent
de déguiser la science sous le badinage. Il y a beaucoup
d'esprit, et du meilleur, dans les *Lettres philosophiques*
de Voltaire et pourtant l'abbé Prévost trouvait qu'elles
n'étaient pas assez « égayées de fictions agréables ».
Mme du Deffand reprochait à l'*Esprit des lois* d'être
souvent de l'esprit sur les lois, et elle n'avait pas tout à
fait tort. L'*Histoire naturelle* de Buffon, on l'a dit au
xviiie siècle, « n'est pas toujours naturelle », et elle
parle de la taupe et du cygne avec des pointes.

La plupart des grandes œuvres, Voltaire mis à part,
n'ont pas gagné grand'chose à cet esprit-là. On y sent
le siècle où l'on pouvait publier sans surprendre, et

même quand on était abbé, *L'Imitation de Jésus-Christ mise en cantiques sur des airs d'opéras et de vaudevilles* (par l'abbé Pellegrin, 1727). Mais elle a fait et fait encore le prix des « petits genres », de tant de contes, pièces fugitives, compliments, badinages. Ce triomphe des petits genres a eu quelque peu sa rançon. On se détourne souvent, malgré l'esprit philosophique ou l' « enthousiasme du sentiment », des gens graves, de Corneille ou de Racine. On délaisse Molière lui-même dont les représentations tombent de 132 à 66 par an, et dont on joue *Le Médecin malgré lui* ou *Monsieur de Pourceaugnac*, plus que *Le Misanthrope* ou *Tartuffe*. A la tragédie ou à la comédie même on préfère l'opéra-comique, les ballets, les théâtres du boulevard et les marionnettes, *Le Moulin de Javelle*, *Les Vendanges de Suresnes*, les scènes d'Audinot ou de Nicolet. Ceux qui font fortune au service des grands, ce sont des « amuseurs », c'est Collé ou Carmontelle qu'on paie pour monter des fêtes de village, des « parades » ou des proverbes. Mais du moins les « petits genres » y ont gagné très souvent une grâce inimitable. C'est par l'esprit que Voltaire a fait du pamphlet, en même temps qu'une arme redoutable, une manière de chef-d'œuvre. Se moquer des carmes, capucins et de la Bible, ce n'est ni très malaisé ni très profond, ni souvent chez Voltaire très judicieux. Mais c'est vraiment donner du prix à des médiocrités ou à des erreurs que de rédiger, pour les dire, l'*Instruction du gardien des capucins de Prague à Frère Pediculoso partant pour la Terre sainte*, ou *La canonisation de Saint Cucufin, frère d'Ascoli, par le pape Clément XIII, et son apparition au sieur Aveline, bourgeois de Troyes, mise en lumière par le sieur Aveline lui-même*. C'est l'esprit qui a fait la fortune de ces « contes » qui furent peut-être — contes de fées, contes galants, contes grecs, contes allégoriques, contes moraux,

contes philosophiques — le genre le plus prospère au
XVIIIᵉ siècle (on en publie plus de cinq cents). C'est
l'esprit qui fait l'invincible prestige de ceux de Voltaire.
Ni dans *Zadig*, ni dans *Micromégas*, ni dans *Candide*,
ni dans *L'Ingénu*, Voltaire ne dit des choses neuves
Il emprunte abondamment, à Swift et à dix autres.
Les problèmes qu'il pose sont ceux qu'on se posait
depuis des siècles ou ceux que vingt écrivains discutaient autour de lui. Les solutions qu'il apporte ne sont,
le plus souvent, ni profondes, ni très originales. Mais
c'est lui qui leur donne la « grâce inimitable », ce « je
ne sais quoi » dont on aimait à disserter depuis cent
ans. Et c'est donc lui qui leur donne la force et la vie.

Il n'y a pas de force et pas beaucoup de vie dans tant
de facéties et de badinages auxquels vingt poètes se
sont évertués pour plaire. Mais il y a du moins des
apparences si gracieuses que ces fantômes donnent
l'illusion de la vie. « Il faut du rose » dans ce siècle-ci,
disait Colardeau, qui était triste. Et c'est à qui, de
Dorat à Boufflers, de Voisenon à Parny, cherchera les
touches les plus délicates, les nuances les plus légères.
C'est le siècle des « petits chefs-d'œuvre » qui sont à
vrai dire souvent minuscules, mais dont une certaine
grâce pare l'insignifiance. *Vers de Mme de *** à sa
fille qui lui avait envoyé un camée d'un amour qui voulait
attraper un papillon pour lui couper les ailes :*

> Le papillon perdant le charme dont il brille
> De léger devient lourd, de joli devient laid ;
>   Il ne reste qu'une chenille.
> Quand l'amour, par hasard, fixe certains amants,
>   On rit de la métamorphose.
> Va, ma fille, crois-moi, des papillons constants
>   Fatigueraient bientôt les roses.

Petit dialogue philosophique de Chamfort : « Vous
mariez-vous ? — Non. — Pourquoi ? — Parce que je

serais chagrin. — Pourquoi ? — Parce que je serais
jaloux. — Et pourquoi seriez-vous jaloux ? — Parce que
je serais cocu. — Qui vous a dit que vous seriez cocu ? —
Je serais trompé parce que je le mériterais. — Et pourquoi le mériteriez-vous ? — Parce que je me serais
marié ».

Les bienséances. — Galante et spirituelle, la littérature mondaine doit surtout respecter les « bienséances ». Les bienséances, ce n'est pas la morale, ce n'est
même pas la pudeur ; car on peut écrire des contes ou
même des compliments qui sont bienséants, qui ravis-
sent la bonne compagnie et qui sont des inconvenances,
parfois même des gravelures. C'est seulement le respect
d'un certain nombre de règles subtiles et d'ailleurs
changeantes qui font, à chaque génération, le « bon ton »
et la « bonne compagnie ». C'est l'habitude de ne
rien hasarder, et de craindre, plus que le vice et plus
que le crime, la singularité et l'originalité. Connaître le
bon ton, c'est connaître le ton des autres. Dès lors
le « génie » n'est plus que dans la « finesse » et la
« délicatesse » et non plus dans la puissance et la création. Tout ce qui surprend déplaît ; tout ce qui innove,
choque. Même lorsqu'on veut « ébranler les âmes » et
lancer les « foudres du génie », on le fait avec mesure
et circonspection. « Il faut, disait Crébillon père, conduire à la pitié par la terreur, mais avec des mouvements
et des traits qui ne blessent ni la délicatesse ni les
bienséances ». Les bienséances règlent le meurtre de
Thyeste, la mort de César ou les traductions de la
Bible. « Ses yeux, dit *Le Cantique des cantiques*, sont
comme des pigeons sur le bord des eaux lavés dans du
lait ». Voltaire trouve la traduction mondaine et bien-
séante : « Un feu pur est dans ses yeux ».

Ce sont les bienséances qui ont assagi la fureur

d'« étrangéromanie » qui, dès le début du siècle et de
plus en plus, précipite les Français vers les littératures
de l'Orient, de l'Angleterre, de la Scandinavie, de l'Allemagne. Nous suivrons ces curiosités impatientes et
nous marquerons les transformations qu'elles ont entraî-
nées. Mais elles n'ont vraiment rien créé, ni même rien
bouleversé. Tous ceux qu'on lit, qu'on loue, qu'on
imite, sont discutés, corrigés et très souvent défigurés.
L'esprit français ne leur emprunte que ce qu'il a déjà
conçu et ne goûte que ce qui flatte des goûts anciens.
En France, disent Voltaire et dix voyageurs, il faut
ressembler aux autres, entendons aux gens de son monde.
En Angleterre, on ne se soucie pas des autres et l'on se
pique de ne ressembler qu'à soi-même. On s'émerveille
donc de cette « singularité » anglaise, et parfois on
la loue. Mais, sauf quand on s'appelle J.-J. Rousseau,
on ne l'imite à peu près jamais. Et chaque fois qu'on
traduit des Anglais, — ou des Orientaux, ou des Scan-
dinaves —, on leur laisse ce qu'ils ont de spécifiquement
étranger, ce qui fait que Swift ne ressemble qu'à Swift,
Ossian à Ossian. Qu'il s'agisse du *Gulliver* de Swift,
des drames de Shakespeare, des romans de Fielding
ou de Richardson, des poèmes d'Ossian, du *Werther*
de Gœthe, les traductions sont constamment des
adaptations. Assurément, on proteste, à l'occasion,
contre ces infidèles. On réclame « tout Richardson »
ou tout Shakespeare. Mais ceux mêmes qui se piquent
d'être fidèles ne font qu'atténuer le mensonge et mesurer
le scrupule. Letourneur défigure moins que Ducis ;
il évite à peu près la caricature. Mais ni son Shakespeare, ni son Ossian ne sont Ossian ou Shakespeare.
Les bienséances sont plus puissantes que le goût romantique et que l'anglomanie.

La réaction. — L'esprit mondain et les bienséances

restent puissants jusqu'à la fin du XVIII⁰ siècle. Mais
il est certain qu'après 1760 leur empire est menacé.
La bataille contre les règles, contre les « petits esprits »
et le « faux goût » devient rapidement violente. Le
Bernois Muralt « osait être grossier sur le sujet de la
politesse française ». Des Anglais comme Sherlock,
Rutlidge ou Moore diront la même chose plus galamment.
Rousseau développera copieusement les accusations
de Muralt et c'est parce qu'elle est mondaine et polie
qu'il fuira la société parisienne pour s'enfermer à l'Ermitage. Ses indignations étaient moins neuves qu'il ne
croyait. Montesquieu, d'Argens avaient déjà raillé
la « fausse politesse » et la fureur du bel esprit. Duclos,
qui avait fait sa carrière par les salons et parce qu'il
savait y plaire, démontre « l'influence fâcheuse de
l'esprit de société sur l'homme de lettres et l'esprit
français ». L'abbé Coyer, Fougeret de Montbron,
dix conteurs, vingt moralistes, multiplieront bientôt
les allégories, les satires et les bons mots pour railler
la politesse, les bienséances et le monde. Paris, c'est
l'Ile frivole. Les mondains ce sont les « frivolites ».
La vie des salons, et même celle de la nation, c'est un
« joli rêve ». Mais on annonce le « réveil » et on le
craint.

DEUXIÈME PARTIE

LE PROLONGEMENT
ET LES TRANSFORMATIONS
DU RATIONALISME CLASSIQUE

———

CHAPITRE PREMIER

LES ORIGINES

———

NOTICE HISTORIQUE : Saint-Évremond (1613-1703) dut s'exiler après la publication d'une *Lettre*, peu respectueuse, *sur le traité des Pyrénées* (1661). Il vécut dès lors en Angleterre et en Hollande, sans cesser de correspondre avec ses amis de France. Il envoie des lettres, des essais (dont des *Réflexions sur les divers génies du peuple romain* qui annoncent Montesquieu), complétés après sa mort par des œuvres inédites audacieuses (*Conversation du maréchal d'Hocquincourt avec le P. Canaye*).

Bayle (1647-1706), protestant, puis catholique, redevenu protestant, enseigna la philosophie à Sedan, puis à Rotterdam jusqu'au jour où sa chaire lui fut retirée à la suite de violentes polémiques. Il a publié un journal érudit : *Nouvelles de la*

république des lettres (1684-1687), des *Pensées sur la comète*
(1682-1704)etc... et son *Dictionnaire historique et critique* (1697).

Fontenelle (1657-1757) a eu une prodigieuse activité intellectuelle. Il se fit connaître d'abord par le scepticisme spirituel
de ses *Dialogues des morts* (1683), puis par ses *Entretiens sur
la pluralité des mondes* où il vulgarise pour les gens du monde
le système de Copernic. Son *Histoire des oracles* est de 1687.
Membre de l'Académie des Sciences, il a écrit d'élégants et
solides éloges des académiciens, qui firent connaître leurs
études. Il fut la gloire de dix salons, de Mme de Lambert à
Mme Geoffrin.

Presque toutes les idées qui sont chères aux « philosophes » du XVIII° siècle sont ébauchées ou suggérées
dès le XVII° siècle par ceux qui ne s'appelaient pas
encore des philosophes, qu'on nommait des « libertins ».

A vrai dire un bon nombre de ces libertins se souciaient
moins de « bien penser » que de « bien vivre ». Ils
n'aimaient ni les dogmes ni les règles morales du christianisme ou de la philosophie chrétienne parce que ces
règles étaient sévères et qu'en gênant leur raison
elles gênaient aussi leurs plaisirs. Cyrano de Bergerac,
Dehénault, François Payot de Lignières, Chaulieu,
La Fare, en défendant leur liberté de penser défendent
surtout leur liberté de bien boire, d'aimer à leur guise
et de jouir largement de la vie. Dans les salons de Ninon
de Lenclos ou du Temple, à Paris, dans celui de Mme de
Mazarin, à Londres, la « sagesse » est la même ; elle
est celle qui fuit les « tourments » et qui cherche les
« voluptés ». Quand l'âge vient, que les voluptés s'en
vont et que la maladie fait songer à la mort, la plupart
de ces libertins font comme La Fontaine, Mme de la
Sablière, Mme de Villedieu, Mme Deshoulières ; ils se
convertissent et corrigent par des pensées pieuses leurs
poésies libertines.

Pourtant il y a bien autre chose dans ce « libertinage »

que la liberté grossière du plaisir et l'insouciance de mondains dépravés. Gabriel Naudé d'abord, puis Bernier, Mme Deshoulières, Gassendi, Saint-Évremond sont de fort honnêtes gens. Leur libertinage est vraiment une doctrine. Et c'est aussi une doctrine que Cyrano, Chapelle, La Fare et les autres ont défendue. S'ils se sont groupés, si Bossuet et tant d'autres les ont redoutés, s'ils ont eu de l'influence, c'est parce qu'ils avaient des idées. Ces idées, c'est d'abord qu'il est déraisonnable d'être Arnault, Pascal, ou Bourdaloue ou Bossuet. C'est que la vie n'est pas faite pour porter une haire et une ceinture à clous et se donner la discipline. On n'y gagne même pas l'ordre et la certitude, car ceux qui sont les plus forts pendent, pillent, terrorisent et exilent les plus faibles, c'est-à-dire les protestants en France ou les catholiques à Genève. Cette loi rude et violente est mauvaise. Il y en a une autre, celle que La Fontaine appelle « la bonne loi naturelle ». Et cette loi naturelle nous enseigne la « volupté » ; la volupté au sens où La Fontaine la célèbre, où les dictionnaires l'entendent, c'est-à-dire les plaisirs sains, délicats et qui donnent à l'âme comme au corps une joie vive et féconde : la conversation, la lecture, les « pensers amusants », les « vagues entretiens », une belle demeure, de beaux tableaux, de beaux jardins auxquels il n'est pas défendu de joindre, avec modération, de bons vins et de jolies femmes.

Le grand maître de ce libertinage est Saint-Évremond. Saint-Evremond vit à Londres, depuis 1661, dans un exil digne et souriant. Mais il semble que son prestige grandisse par l'éloignement. On s'arrache tout ce qu'il imprime ou plutôt tout ce qu'il laisse imprimer et qui se glisse en France par des voies ouvertes ou secrètes. Qu'il s'agisse de discuter Corneille et Racine, les « divers génies du peuple romain » ou les scepticismes du maré-

chal d'Hocquincourt, on en goûte le style alerte et
spirituel. On en aime la raison, non pas une raison
impérieuse, mais cette raison fine, curieuse qui pénètre
toutes les difficultés des choses, dissipe les prestiges
des dogmes et les mensonges des commandements.
Et l'on se laisse aller, avec Saint-Evremond, à ce qui
est « naturel », au plaisir de penser librement, de goûter
les belles choses, de faire de la vie non pas une bataille
hargneuse, mais un accommodement élégant.

L'école de Saint-Évremond a été, comme de juste, celle
qui a eu le plus de disciples ; elle était la plus aisée.
Mais il y a eu, dès 1660, et surtout dès 1680, un libertinage plus austère et plus philosophique. Il fut défendu
par des philosophes, Gabriel Naudé, Gassendi, sans
doute Molière, qui s'inspiraient d'Épicure ou l'adap-
taient. Philosophie prudente encore qui ne heurtait
pas la foi chrétienne. Les audaces commencent avec
Bayle et Fontenelle. Elles ne sont d'ailleurs que l'exercice de la raison cartésienne, la pratique de ce libre
examen que Bossuet n'avait pas tort de redouter :
« Je vois... un grand combat se préparer contre l'Église
sous le nom de philosophie cartésienne... Il s'introduit,
sous ce prétexte, une liberté de juger qui fait que sans
égard à la Tradition on avance témérairement tout
ce qu'on pense ». Bossuet craint pour la « Tradition »
dogmatique et celle-là Bayle feint de la respecter ;
mais il revendique la liberté de juger celle qui s'écrit
avec une lettre minuscule, la tradition, toutes les traditions. Il publie des *Pensées sur la comète* qui discutent
l'opinion selon laquelle les comètes présagent des mal-
heurs illustres. Chemin faisant on côtoie, on rencontre
d'autres traditions qui sont peut-être aussi des fantômes.
La religion, dit-on depuis bien longtemps, est vraie,
ne fût-ce que parce qu'elle est nécessaire ; détruisez-la
et toute société croule dans un chaos sanglant. Hypo-

thèse, erreur même, dit Bayle ; et il démontre qu'une
société d'athées pourrait fort bien vivre et prospérer.

A défaut de ces grands problèmes, dangereux et tout
de même incertains, l'histoire est toute pleine de problèmes que la tradition transmet sans les discuter et que
la raison a le droit d'examiner. Pour résoudre un certain
nombre de ces problèmes, Bayle rédige son **volumineux**
Dictionnaire. C'est un amas d'érudition et qui ne nous
intéresse plus guère. Tous ces gens dont Bayle écrit
l'histoire sont pour la plupart si obscurs qu'il nous
importe peu que ce qu'on en dit soit véridique ou
mensonger. Pourtant le *Dictionnaire* a été peut-être
la plus grande œuvre de la première moitié du xviiie
siècle. Dans les catalogues de 500 bibliothèques privées,
c'est lui que j'ai trouvé le plus souvent (288 fois).
C'est que Bayle, et sans doute ses lecteurs, s'intéressent
moins aux problèmes qu'à la méthode qui les discute.
Méthode prudente et conclusions orthodoxes dans
les articles, mais qui s'émancipent dans les notes où
Bayle applique avec rigueur les règles de la critique
historique. Comparaisons, discussion des témoignages
et des textes qui sans cesse rejettent dans la fable
toutes sortes de prétendues vérités et, lorsqu'il se
trouve — il se trouve fort souvent — des vérités
chrétiennes, des miracles, des vies de saints, des textes
falsifiés ou forgés.

Fontenelle a raisonné comme Bayle et pour arriver
aux mêmes conclusions. Il a écrit une *Histoire des oracles*
pour démontrer que les oracles n'avaient jamais rien
prédit et qu'ils avaient abusé des crédulités. Or, on
avait cru aux oracles, même lorsqu'on était très intelligent. On avait donné de leur véracité des preuves
abondantes et précises ; ou du moins qu'on croyait
précises. Fontenelle montre ce qui se cachait derrière
ces précisions apparentes. Ainsi s'institue toute une

critique rigoureuse des erreurs de l'opinion. Rien n'empêche qu'on ne retrouve ces erreurs dans toutes les
opinions religieuses. On glisse, et Fontenelle y pousse son
lecteur, du paganisme au christianisme. A cet esprit critique, Fontenelle en ajoute un autre, l'esprit scientifique.
On commençait à s'engouer fort des sciences, dès 1680,
et surtout dès 1690 ; on célébrait leurs « découvertes »
et leurs « progrès » ; et c'était un des arguments essentiels de Perrault dans la *Querelle des anciens et des
modernes*. Mais leur progrès, c'était celui de l'intelligence humaine. L'homme était donc autre chose qu'une
créature déchue, vouée au péché, à l'expiation, au
repliement sur soi. Il pouvait créer, conquérir, dominer
la nature. La raison, une certaine raison, lui ouvrait
d'immenses horizons d'activité et d'espérance.

C'était, d'ailleurs, une raison prudente et modeste.
Car les sciences en même temps qu'elles grandissaient
l'homme le rapetissaient. « L'homme n'est qu'un
point dans la nature », disait Pascal. Et pourtant
Pascal croyait que la terre était au centre du monde.
Fontenelle enseigne la « pluralité des mondes », le
système de Copernic. La terre n'est qu'une planète,
fort petite. Elle se perd, après l'homme, dans l'infini.
Cessons donc de croire que le monde est fait pour nous,
que Dieu n'a à s'occuper que de nous. Cessons même
de bâtir le monde, des mondes, des sytèmes métaphy-
siques aussi vains qu'ambitieux, aussi vite ruinés
qu'édifiés. Imitons ces savants dont Fontenelle écrit
inlassablement les éloges. Observons les faits, soumet-
tons-les à des expériences précises. Travaillons à connaître la nature, non pas la nature métaphysique, la
natura naturans et la *natura naturata* des scolastiques,
mais celle qui est devant nos yeux, celle du physicien,
du chimiste, du naturaliste.

L'ampleur de ce mouvement philosophique se marque

par l'abondance des œuvres, des traductions et des
lecteurs. Morale « laïque », morale de la bonne nature,
du plaisir tempéré et choisi, c'est celle que louent des
hommes comme le marquis de Lassay ou Raymond
le Grec. Curiosité critique, scepticisme historique,
c'est le goût de vingt érudits. C'est celui des *Voyages*
imaginaires, des utopies qui se multiplient à la fin du
XVIIᵉ et au commencement du XVIIIᵉ siècles. *La Terre*
australe connue de G. de Foigny (1676), *L'Histoire des*
Sévarambes, de Denis Veiras (1677), les *Voyages et aven-*
tures de Jacques Massé, par Tyssot de Patot (1710),
l'*Histoire de l'Ile de Calejava ou l'Ile des hommes rai-*
sonnables, avec le parallèle de leur morale et du chris-
tianisme, de A. Gilbert (1700), ne sont pas des œuvres
illustres. On les lit pourtant et on les réédite presque
toutes. Ce sont autre chose que des « aventures ». Ce
sont vraiment des « parallèles », raisonnables, entre
nos croyances traditionnelles, politiques et religieuses,
et la religion ou la politique que la raison peut concevoir. Or ce que la raison construit est fort différent
de nos traditions : c'est la religion naturelle, l'égalité
ou même le communisme.

Tout cela se renforce par la lecture et la traduction
d'une foule d'ouvrages anglais. Les érudits et les savants
lisent les *Transactions philosophiques* de la Société
royale de Londres. Locke est traduit presque tout
entier avant 1700, son *Éducation des enfants*, son *Chris-*
tianisme raisonnable, sa *Lettre sur la tolérance*, puis son
Essai sur l'entendement humain. Peu à peu on lui joint
tout un cortège de moralistes et de théologiens déistes
(Clifford, Sherlock, Collins, Clarke, Addison, Pope).
Des journaux se fondent dont le titre seul indique
qu'ils s'occupent avant tout des choses d'Angleterre
(la *Bibliothèque anglaise*, 1717-1728, les *Mémoires litté-*
raires de la Grande Bretagne, 1720-1724, puis la *Biblio-*

thèque britannique, 1733-1747). Les voyages de Gulliver
sont traduits en 1727. Dès 1720, plus nettement vers
1730, l'Angleterre devient le pays de la liberté politique
et de la liberté de pensée, et par là — on le dit ou le
laisse entendre — un modèle pour les Français.

Chapitre II

L'OPTIMISME RATIONALISTE
ET SES CONSÉQUENCES

Notice historique : Voltaire (1) irritable et vaniteux se brouille vite avec Frédéric II. Il doit quitter assez piteusement la Prusse en 1753, s'installer en Suisse en 1754. Il avait publié le *Siècle de Louis XIV* (1751), le conte de *Micromégas* (1752), le poème de *La Loi naturelle* (1756), l'important *Essai sur les mœurs et l'esprit des nations* (1756), le conte de *Candide* (1759). Ferney devient bientôt, pour d'innombrables visiteurs, un lieu de pèlerinage. La célébrité de Voltaire s'accroît par son intervention pour réhabiliter le protestant Calas roué sur la fausse accusation d'avoir tué son fils prêt à se faire catholique, pour sauver le protestant Sirven de l'accusation d'avoir noyé sa fille catholique, pour réhabiliter le chevalier de la Barre décapité parce qu'il ne s'était pas découvert sur le passage d'une procession et avoir, soi-disant, mutilé un crucifix. En 1778, Voltaire revient à Paris. Il y est reçu dans un délire d'enthousiasme. A Ferney, Voltaire avait écrit avec une inlassable activité des tragédies médiocres, des poèmes spirituels, des contes (*L'Ingénu*, 1767), des ouvrages d'histoire et de philosophie (*Traité de la tolérance*, 1763 ; *Dictionnaire philosophique portatif*, 1764 ; *Questions sur l'Encyclopédie*, 1770) ; et une foule de brochures et d'opuscules de polémique religieuse (*Sermon des cinquante*, 1762 ; *Examen important par Mylord Bolingbroke*, 1765, etc...).

Les principaux philosophes sont :

L'abbé de Condillac (1714-1780), qui mena une existence

---

(1) Pour la première partie de la vie de Voltaire, voir p. 3.

studieuse et simple, et fut lié avec les principaux encyclopédistes. Ses ouvrages essentiels sont l'*Essai sur l'origine des connaissances humaines* (1746), le *Traité des systèmes* (1749) et le *Traité des sensations* (1754) ;

Helvétius, fermier général, très riche, dont le salon fut le rendez-vous des philosophes. Son livre *De l'Esprit* parut en 1758. Le traité *De l'Homme* est publié en 1772, après sa mort ;

D'Holbach (1723-1789) était également très riche et devint « le maître d'hôtel de la philosophie ». Il a écrit, en collaboration certainement avec Diderot, *La Politique naturelle* (1773), *Le Système social* (1773) et des ouvrages de polémique religieuse (*Le Christianisme dévoilé*, 1761 ; *Le Système de la nature*, 1770) ;

D'Alembert (1717-1783), fils naturel de Mme de Tencin, secrétaire perpétuel de l'Académie française (1771), a exercé par son influence personnelle une action considérable. En dehors du discours préliminaire de l'*Encyclopédie* et d'œuvres géniales de mathématiques, il n'a publié que de courts ouvrages littéraires, nombreux mais médiocres ;

L'abbé Raynal publia, en 1770, une vaste *Histoire philosophique et politique des établissements et du commerce des Européens dans les deux Indes*. Avec la collaboration de Diderot, d'Holbach, etc.., il en donne des éditions très augmentées (1774, 1780) où il développe ses attaques contre le fanatisme et des considérations humanitaires ;

L'abbé de Mably (1709-1785) s'est d'abord occupé de politique comme secrétaire du cardinal de Tencin. Puis il publie un grand nombre d'ouvrages de philosophie politique (*Observations sur l'histoire de France*, 1765 ; *De la législation ou principe des lois*, 1776 ; *Observations sur le gouvernement et les États-Unis d'Amérique*, 1784, etc...) ;

Condorcet (1743-1794) a écrit, avant la Révolution, un certain nombre de traités de mathématiques et d'économie politique, une vie de Turgot (1786), une vie de Voltaire (1787). Membre de l'Assemblée législative, de la Convention, il fut arrêté comme Girondin et s'empoisonna.

Il faut citer enfin des ouvrages médiocres, mais qui ont eu, au XVIIIᵉ siècle, un grand succès et de l'influence :

Boulanger, *L'Antiquité dévoilée* (1766) — Delisle de Sales, *La Philosophie de la nature* (1770) — Morelly, *Le Code de la nature* (1755) — Guillard de Beaurieu, *L'Élève de la nature* (1763).

Pour Montesquieu, voir p. 65 ; Diderot, p. 97 ; l'*Encyclopédie*, p. 98 ; J.-J. Rousseau, p. 123.

Les principes généraux. — Le premier principe des philosophes est un optimisme réfléchi. On ne croit plus que la terre soit une vallée de larmes et que tout l'effort humain soit de lutter contre une nature corrompue pour éviter le péché. Cette philosophie, qui prolonge celle de Molière, La Fontaine ou Saint-Evremond, enseigne qu'il fait bon vivre, quand on sait vivre. Cette joie de vivre étale, dans le poème du *Mondain* (1736), un égoïsme et un appétit de plaisir assez déplaisants. Tout est bien parce que Voltaire et ses amis ont de beaux vêtements, de beaux carrosses, de bons soupers, et le reste. Mais c'est aussi, et c'est déjà moins grossier, parce qu'on écrit de belles tragédies et parce qu'on peint de beaux tableaux. L'Anglais Mandeville dans sa *Fable des Abeilles* (traduite en 1740), puis le Français Melon démontrent que le plaisir, le luxe, les bons soupers et les beaux carrosses et les beaux palais ont leur utilité. Par eux l'industrie prospère et le commerce se développe. La joie des uns sauve les autres de la misère. Il reste pourtant de la misère et l'expérience prouve que l'on n'est jamais sûr de bien souper et de bien vivre. Car il y a la maladie, l'injustice, la persécution et la guerre. Même quand on est Voltaire, on n'est pas toujours choyé par une marquise du Châtelet et protégé par une Mme de Pompadour. La marquise vous trompe et Mme de Pompadour vous abandonne. On est malade d'ailleurs. Il faut quitter la France, puis la Prusse. Aussi le joyeux « mondain » tempère-t-il assez vite sa bonne humeur. Son optimisme, comme celui de Montesquieu, de Buffon et d'autres n'est plus guère que de la prudence et de la résignation.

Mais ces inquiétudes et ces scepticismes s'arrêtent toujours devant une espérance. Le « monde comme il va », pense Voltaire, va médiocrement ou il va mal.

C'est la misère, le despotisme, le fanatisme, la folie d'aujourd'hui. Mais le monde de demain peut aller mieux. Il doit aller bien. Candide, après les pires mésaventures, après avoir traversé toutes les infortunes humaines, garde le courage de « cultiver son jardin ». C'est parce qu'il a foi, malgré tout, dans l'avenir. Tous les hommes « sont également fous » : Voltaire le répète ; et l'opinion qui « gouverne le monde » est une opinion de frénétiques ou d'imbéciles ; « mais ce sont les sages qui à la longue dirigent cette opinion ». Peu à peu l'intelligence triomphera de l'ignorance, la raison des préjugés, de l'injustice, de la violence.

Il y a donc lieu de se réjouir des « conquêtes de la raison » et de leur faire confiance. Et pour préparer l'avenir, c'est à la raison qu'on doit faire appel. L'*Encyclopédie* est un dictionnaire « raisonné » des connaissances humaines, l'inventaire de ce que la raison y a mis, corrigé, préparé. Toutes les grandes œuvres jusqu'en 1760, presque toutes les œuvres après cette date qui ne sont pas des œuvres « de sentiment » sont des œuvres « raisonnées » et raisonnables. Les *Lettres persanes* opposent la raison d'un Persan, c'est-à-dire d'un Parisien raisonnable, aux déraisons des Parisiens. L'*Esprit des lois* cherche les raisons des lois. Les *Lettres anglaises* ne sont jamais un voyage pittoresque ou « sentimental », c'est l'étude de la raison anglaise. Les contes de Voltaire sont les rencontres de la raison et des déraisons de la fortune ou des hommes ; la *Henriade* est l'apologie du premier monarque dont on puisse dire qu'il fut raisonnable.

Il faut s'entendre d'ailleurs sur le mot raison. Ce n'est pas la raison scolastique qui empruntait ses vérités, même incompréhensibles, à Aristote ou Saint Thomas et en déduisait, raisonnablement, des conséquences ; c'est l'évidence cartésienne, c'est la raison

mathématique. Jusqu'aux environs de 1750, raisonner,
c'est partir de principes évidents pour la raison de tout
le monde, ou que l'on tient pour tels, et cheminer de
conséquence évidente en conséquence évidente ; c'est
penser en mathématicien, en « géomètre ». Les ennemis
mêmes de cette géométrie, comme ses amis, reconnais-
sent que, jusque-là, elle a régné à peu près sans partage.
C'est, dit l'abbé Dubos, « l'art si vanté d'enchaîner
des conclusions ». « La géométrie, constate Duclos,
qui a succédé à l'érudition, commence à passer de
mode ». Et Diderot, dans ses *Pensées sur l'interprétation de la nature*, prévoit une « grande révolution dans
les sciences » qui détrônera la géométrie. Au reste,
tous les philosophes ont étudié et même cultivé les
mathématiques avec application : Fontenelle, Voltaire,
Montesquieu, Diderot, J.-J. Rousseau, Condillac. Et
d'Alembert est un géomètre illustre avant d'être un
philosophe notoire.

Les certitudes de la géométrie ont pourtant leur incer-
titude ; c'est que leurs premières vérités sont des
axiomes ; on ne les démontre pas ; elles sont arbi-
traires. La méthode géométrique en philosophie avait,
elle aussi, ses dangers ou ses postulats. Ces postulats se résumaient dans l'affirmation que ce qui était
évident pour la raison de Voltaire, de d'Alembert,
de Condillac et de Condorcet était évident pour les
hommes de tous les pays et de tous les temps ; et que
les conséquences qu'on en déduisait devaient sembler
évidentes à des crocheteurs comme à des académiciens,
à des Iroquois comme à des Français. On croyait,
comme Descartes, qu'il suffisait de « bon sens »
et que le bon sens est la chose du monde la mieux par-
tagée. On se mit donc à construire des raisonnements
de bon sens. Pour connaître l'homme, par exemple,
la formation et la nature de sa pensée, on n'interrogea

plus Aristote, Saint Paul ou Saint Thomas. On se fia
au raisonnement. Condillac « se donne » une statue,
comme le mathématicien se donne la masse et le mouvement. Il se donne un sens et raisonne sur les impressions que la statue reçoit de ce sens ; puis un deuxième
sens, etc. L'hypothèse et le raisonnement de l'homme-
statue sont, à peu près, ceux de tout le monde au XVIIIᵉ
siècle. On les trouve chez Buffon, chez le philosophe
genevois Bonnet. Ou bien on le perfectionne. A la place
d'une statue, on se donne un enfant qu'on suppose sans
hérédité, sans tempérament ; on l'élève dans un souter-
rain, dans une cage, comme La Mettrie, Delisle de Sales,
Guillard de Beaurieu. Et l'on suppose, dans l'abstrait
a priori, des expériences et des conséquences d'expériences. Ou bien comme Helvétius, on se donne un esprit
humain qu'on déclare identique chez tous à la naissance,
prêt à subir, exactement de la même manière, les mêmes
impressions et l'on raisonne, géométriquement, sur les
résultats différents d'impressions différentes. Cette géométrie philosophique exerce des séductions invincibles.
Les physiocrates eux-mêmes, qui sont des économistes,
qui étudient les réalités des grains, du bétail, du commerce et qui les connaissent d'ailleurs par expérience,
sont convaincus que les vérités économiques sont
susceptibles de démonstrations mathématiques, qu'elles
sont universelles et absolues.

Il est très certain que cette méthode de raisonnement
ne valait rien pour les sciences d'observation. Voltaire
(qui le savait et l'a dit) en a fait, avec d'autres, la fâcheuse expérience. Il a voulu, contre les observations
de Buffon, raisonner sur l'origine des fossiles et il en
est arrivé à conclure qu'ils étaient tombés du manteau
des pèlerins ou qu'ils poussaient dans la terre quand on
l'arrosait. Mais où conduisait cette méthode, ou plutôt
où aurait-elle conduit si les philosophes n'avaient connu

que celle-là, lorsqu'il s'agissait de résoudre les problèmes
de notre destinée, de l'histoire et de la vie sociale ?

**Les conséquences : La religion naturelle et la tolé-
rance.** — Elle menait d'abord tout droit à des discussions religieuses. La religion était toujours, comme
au temps de La Bruyère, un de ces « grands sujets »
où il n'était pas permis aux profanes d'entrer. Mais
on s'indigne justement de la défense. « On ne se contente
pas du vraisemblable en matière de science ; on veut
des démonstrations ; pourquoi s'en contenter en matière
de religion... ? Toutes les religions se vantent d'être la
véritable ; pour choisir il faut être convaincu par des
preuves claires et évidentes. Si elles n'en ont point,
il faudrait en chercher une qui en ait ; si je me bouche
les yeux, comment la trouverai-je ? » (*Examen de la
religion attribué à M. de St-Evremond*). Diderot ou
le pseudo-Saint-Evremond disent cela pour eux ou pour
des initiés, dans des manuscrits qu'ils ne publient pas
ou des livres qui circulent sous le manteau. Mais quand
on ne le dit pas, on le suggère. L'*Encyclopédie*, après
le *Dictionnaire* de Bayle, et plus hardiment, est faite
pour signaler tous les problèmes religieux qui devraient
relever de la raison et non pas de l'autorité. L'article
Bible, l'article *Christianisme*, l'article *Peines infernales*
et dix autres s'en remettent pour la décision à la
réponse, sans appel, de l'Église. Mais ils commencent
par exposer, subtilement, tous les problèmes, toutes les
difficultés qui se posent, qui gênent la raison. Pour
s'accorder avec cette raison, peu à peu deux doctrines
se répandent et l'une d'elles devient vraiment, dans la
classe cultivée, l'opinion dominante.

C'est le déisme ou la « religion naturelle ». Il y a bien,
si l'on veut, dans le christianisme du divin ; mais comme
il y en a dans la religion des Guèbres, dans le boudhisme,

ou même dans la religion de Mahomet, des Incas ou
des Algonquins. Quand on épure les diverses religions
des absurdités, des contradictions, des inventions
des prêtres, il reste quelques croyances communes.
Elles sont vraies, et parce qu'elles sont communes,
et parce qu'elles satisfont la raison ou du moins ne
lui répugnent pas. Il y a un Dieu, qui ne se confond pas
avec le monde qu'il a créé ; il a donné à l'homme une
conscience, le sentiment du bien et du mal ; il lui a donné
une âme qui est assurément — ou sans doute — ou
peut-être — immortelle, et qui sera punie de ses fautes
et récompensée de ses vertus. Ce déisme est la religion
de Montesquieu, de Voltaire, du marquis d'Argens, de
Duclos, de Toussaint, de d'Alembert, de Mably, de
Condorcet, de presque tous les philosophes et de ceux
qui les goûtent. Ils ne varient que sur le « assurément,
sans doute, peut-être » de l'âme immortelle. Montesquieu ou d'Alembert ou Duclos tiennent, au moins
publiquement, pour la certitude. Voltaire dit « oui »,
puis « peut-être », puis « non ». Il recule pourtant
jusqu'au bout devant le matérialisme.

Il y a eu, en effet, fort peu de matérialistes et ils
ont presque tous gardé pour eux leurs négations. Dans
le monde, disent-ils, il n'y a qu'un élément, la matière.
Elle est, si l'on veut, Dieu, puisqu'elle est tout. Cette
matière est plus ou moins organisée : elle peut avoir la
vie et la sensibilité : elle est plante ou animal ; elle peut
avoir la pensée : elle est l'homme. A la mort, les éléments
de la matière humaine se dispersent, comme les autres.
Ce matérialisme est celui que suggèrent, sans l'exprimer
nettement, les œuvres d'Helvétius. D'Holbach a tout
un chapitre pour nier la spiritualité de l'âme ; mais il
est perdu parmi cent autres. Il y eut d'autres athées,
Fontenelle, l'abbé de Saint-Pierre, Barbeyrac, Boulanger si l'on en croit Voltaire ; plus certainement

Deslandes, Morelly ; assurément Fréret ou le curé Meslier, puis Naigeon, Sylvain Maréchal, etc. Mais il n'y en a guère que deux qui comptent : La Mettrie (*L'Homme plante, L'homme machine*) et surtout Diderot.

Diderot n'a pas cherché le scandale. Dans ses œuvres publiées, il suggère le matérialisme ; il ne l'affirme jamais. Mais c'est lui qui a fait de ce matérialisme autre chose qu'une négation fanfaronne. Il a vraiment créé le matérialisme expérimental. Pour nier la spiritualité de l'âme, donc son immortalité, et son existence, il ne raisonne pas, car le raisonnement va, dans ces matières, où l'on veut qu'il aille. Il observe, il expérimente. Il observe que l'âme est liée au corps par des rapports si étroits qu'on ne sait où finit l'un et où l'autre commence ; que notre tempérament moral n'est que le reflet de notre tempérament physique ; que si le physique est modifié par la maladie, par des poisons, des hypnotiques, par le sommeil somnambulique, l'âme l'est dans la même proportion. Les liens qui unissent l'âme et le corps sont donc, expérimentalement, si rigoureux que la pensée et la matière ne sont qu'une seule et même chose : « Le paysan qui voit une montre se mouvoir et qui, n'en pouvant connaître le mécanisme, place dans une aiguille un esprit, n'est ni plus ni moins sot que nos spiritualistes ».

Diderot a gardé pour lui, pour ses papiers, la plupart de ces affirmations. Elles n'ont donc pas eu d'influence. Mais les déistes et les athées se sont accordés sur deux points qui ont entraîné toute une part de l'opinion publique.

Le premier est que, si la « religion naturelle » est « naturelle », toutes les formes particulières des religions, toutes les croyances à des dogmes précis sont des erreurs et des duperies. Les philosophes se refusent à comprendre que l'on puisse croire, si l'on n'est pas

un sot, à ce qui semble absurde à la raison. L'histoire
des religions doit donc nous montrer, et elle nous montre,
la même suite d'événements. Il y a dans les foules
humaines, ignorantes et misérables, une crainte invincible, l'instinct d'apaiser des puissances mystérieuses
et redoutables. Des fourbes adroits ont exploité cette
crainte. Ils ont inventé des dieux, les commandements
des dieux d'autant plus terribles qu'ils sont plus obscurs.
Ils se sont dit les intermédiaires entre la faiblesse
humaine et la puissance divine. Ils se sont fait craindre
et payer pour intervenir. En même temps, ils s'asso-
ciaient avec tous les despotes, qui leur prêtaient la force
des armes, et auxquels ils prêtaient les prestiges mystiques. L'histoire des religions, c'est donc l'histoire
d'une fourberie, d'une exploitation, d'une tyrannie.

Même si l'on n'ose pas dire ouvertement que la religion est fausse, on réclame donc violemment la tolérance. Cette doctrine de la tolérance a été très lente
à se préciser. La plupart des bons esprits du XVIIᵉ siècle
on approuvé la révocation de l'édit de Nantes. Fénelon
alla surveiller, en Saintonge, l'application des méthodes
les plus odieuses, avec une humeur sereine et joviale.
Les sceptiques mêmes, les libertins comme Saint-
Evremond, tendent à rejeter tous les torts sur les
« entêtés ». Mais peu à peu les violences s'apaisent ou
plutôt elles s'usent dans les querelles intestines du
quiétisme et du jansénisme. On peut discuter de la
tolérance et la défendre publiquement. Bayle le fait.
Fénelon, sur le tard, n'y est pas hostile. On lit les théologiens anglais, Locke, Collins, etc., qui combattent
toute persécution. Les *Lettres persanes* et l'*Esprit des
lois* de Montesquieu, les *Lettres chinoises* de d'Argens,
les contes de Voltaire (*Les Voyages de Scarmentado*,
Zadig, *Micromégas*, etc.) multiplient contre l'intolé-
rances les ironies et les sarcasmes. Vers 1750, la cause

de la tolérance est ouvertement gagnée. Dans la « maison de Sorbonne », les boursiers qui la forment, étudiants en théologie, Turgot, l'abbé de Brienne, Morellet, discutent sur la tolérance et concluent pour elle. On peut même s'élever contre l'intolérance avec approbation et privilège du roi. L'article *Gomaristes* de l'*Encyclopédie*, qui est de Morellet, n'est pas tendre pour les puissances civiles qui prétendent imposer les croyances par la prison, les galères ou le gibet. Après 1760, l'intolérance garde des défenseurs, mais leur voix timide et maladroite se perd dans des clameurs indignées. Les affaires Calas, Sirven et la Barre achèvent de discréditer le fanatisme. Delisle de Sales calcule, avec une belle précision, que, depuis la création du monde, le fanatisme a fait périr 33 095 290 hommes. Et Raynal, à qui Diderot souffle d'ailleurs ou même dicte ses éloquentes périodes, fait de l'*Histoire des deux Indes* l'histoire des cruautés catholiques dans les deux Indes.

On pourrait insister sur les injustices que les philosophes ont commises dans la bataille et sur le tour fâcheux qu'ils ont donné trop souvent à leur polémique. Rappelons seulement qu'ils avaient de fortes excuses sur lesquelles nous reviendrons. Depuis longtemps les défenseurs du christianisme ne parlaient pas sur un autre ton que ceux qui ne pensaient pas comme eux. Ils pouvaient, par surcroît, les faire pendre. Ils les envoyaient aux galères. Et les partisans de l'intolérance jetaient, de temps à autre, les protestants en prison, leurs enfants dans des couvents catholiques, ou pendaient leurs ministres. Les philosophes ont eu d'autres torts que ces violences de langage, ou plutôt ils ont commis une erreur plus certaine.

Ils n'ont à peu près rien compris à ce qui fait le caractère propre de l'esprit religieux et de la foi. Ils n'avaient pas tort d'en dénoncer le besoin de convertir et de contraindre, et l'alliance qui avait mis les bûchers, puis les prisons du pouvoir temporel au service des pouvoirs spirituels. Mais ils étaient incapables de comprendre qu'on pouvait croire à des vérités qui n'étaient pas « raisonnables » sans être un fourbe ou une dupe. Ils n'ont jamais voulu admettre les raisons que la raison ne comprend pas et ces « certitudes du cœur » qui s'embarrassent fort peu des contrôles de l'histoire et des observations des naturalistes. C'est pour cela qu'ils ont dit tant de sottises chaque fois qu'ils ont parlé de ce qu'Auguste Comte appellera les époques théologiques, des grands hommes et des grandes œuvres dont la grandeur est d'ordre mystique. Voltaire, Mably, Condorcet et bien d'autres n'ont jamais voulu voir dans les Croisades (d'ailleurs après l'abbé Fleury) que des guerres d'aventures et de basse cupidité ; Voltaire, d'Aigens ou Helvétius ont parlé des grands saints mystiques, et, par exemple, de Saint François d'Assise, comme de fous ridicules ; Voltaire a écrit sur Jeanne d'Arc une *Pucelle* qui est un chef-d'œuvre de sottise grossière. Ce qu'il y a de grave, d'ailleurs, ce n'est pas que Voltaire l'ait écrite, c'est qu'il ait scandalisé pour des raisons de décence et non pas pour son sujet. La *Pucelle* a diverti fort souvent ; elle a plu. Jeanne d'Arc n'était pas une héroïne « raisonnable ». Cela suffisait pour que presque personne, du moins avant 1770, ne l'ait comprise.

La morale naturelle ou laïque. — Si l'on nie les religions révélées et si l'on n'en garde que la vague « religion naturelle », que devient la morale ? Car jusque-là la morale n'était qu'un des noms de la religion. Pour bien vivre, on n'interrogeait ni sa conscience ni des principes, mais les commandements de Dieu et de l'Eglise. Et si l'on était embarrassé, on consultait non sa raison, mais son confesseur ou son directeur. Les philosophes auraient pu ne pas s'inquiéter de ce problème : « Cherchons la vérité ; et que la morale s'en tire comme elle pourra ! ». Mais ils ont tous essayé de sauver la morale tout en la libérant de la religion.

La tentative avait commencé depuis longtemps. Très souvent, d'ailleurs, c'était instinctivement qu'on avait, sinon organisé une morale indépendante, du moins parlé de la morale comme si elle ne dépendait que d'elle-même. La plus grande partie des *Caractères* de La Bruyère, qui est chrétien, fermement, aurait pu être écrite par un libre-penseur. Le goût de moraliser s'accroît en même temps que la philosophie progresse. On publie quelque trois cents ouvrages de morale en cinquante ans, avant La Bruyère, mais on en publie davantage en vingt-cinq ans, après lui ; et dans ces *Pensées*, *Réflexions*, *Caractères*, la religion tient de moins en moins de place. Bayle, nous l'avons dit, pose ouvertement le problème dans ses *Pensées sur la comète*. « L'athéisme ne conduit pas nécessairement à la corruption des mœurs. Conjectures [très favorables] sur les mœurs d'une société qui serait sans religion ». Les chapitres firent scandale. Mais son opinion, d'abord scandaleuse, fut très vite celle de tout le monde. Dans le *Télémaque* de Fénelon, le *Cyrus* de Ramsay et le *Sethos* de Terrasson qui l'imitent, ce sont des païens qui sont vertueux. Explicitement tous les philosophes croient à une morale qui se suffit à elle-même, Montesquieu dans les *Lettres persanes*, Voltaire dans son *Traité de métaphysique* (1734), ses *Contes*, ses *Discours en vers sur l'homme* (1734-1737), son *Poème sur la loi naturelle* (1756), et les premiers « philosophes » moins notoires, d'Argens, Deslandes, Barbeyrac, etc. Ils le disent d'ailleurs avec modération, en masquant l'indépendance de cette morale naturelle et de la morale religieuse. Ce fut l'avocat

Toussaint qui creusa hardiment le fossé dans ce livre
des *Mœurs* (1748) qui indigna, qu'on condamna, mais
qui eut une vingtaine d'éditions, pour le moins, avant la
Révolution. « Qu'est-ce que la *vertu* ? C'est la fidélité
constante à remplir les obligations que la *raison* nous
dicte ». Et cette raison-là n'est pas du tout la religion.
« La religion n'y entre qu'en tant qu'elle concourt à
donner des mœurs ; or comme la Religion naturelle
suffit pour cet effet, je ne vais pas plus avant... Je
veux qu'un mahométan puisse me lire aussi bien qu'un
chrétien ».

Il en fut de Toussaint comme de Bayle. Il eut bientôt
tout le monde pour lui, ouvertement : Duclos (« La
religion est la perfection, non la base de la morale »),
d'Alembert, tous ceux qui étaient du parti « philosophe »
et bien d'autres. Il eut même les matérialistes, Helvétius,
d'Holbach, Diderot, Naigeon. Ces matérialistes tenaient
une gageure plus difficile et même désespérée. Car
en même temps que Dieu et l'âme, il étaient obligés
de nier la liberté. Si nous ne sommes pas libres, comment
donc nous parler de devoir ? On n'enseigne pas à une
montre à marquer l'heure exactement, par conscience.
Mais tous les matérialistes tiennent à la morale plus
encore qu'à leur matérialisme. Pour ne pas s'embar-
rasser de la contradiction, ils l'ignorent ou ils feignent
de l'ignorer. « La vertu, dit La Mettrie, peut donc
prendre dans l'athée les racines les plus profondes,
qui souvent ne tiennent pour ainsi dire qu'à un fil sur
la surface d'un cœur dévot ». D'Holbach consacre
une part de ses livres à enseigner la morale, tout un
chapitre à démontrer que « l'athéisme est compatible
avec la morale ». Quant à Diderot, s'il raisonne sur le
matérialisme avec ardeur, il enseigne la morale avec
des adjurations pathétiques, des « pleurs », des « fré-
missements ». La vérité est une « grande statue »,

mais la vertu en est une autre « élevée sur la surface
de la terre ».

Il ne suffisait pas de poser le principe de la morale naturelle ; il fallait le justifier. La morale religieuse est justifiée par la religion. Elle est ce qu'elle
est parce qu'elle est un ordre de Dieu, dicté par Dieu,
interprété par ses ministres. Dans la morale naturelle,
il n'y a plus de loi révélée. Il faut bien mettre quelque
chose à la place. On y mit d'abord un « instinct moral ».

L'homme a le désir du bien et l'aversion du mal,
comme il a la croyance en Dieu ou même l'amour de
la vie et la crainte de la mort. C'est une idée innée ou
tout au moins dont le germe est inné. Locke ne croyait
pas plus que Montaigne à cette innéité de la morale.
Mais elle est la doctrine du poète anglais Pope dans
ces *Essais sur l'homme* (1730) dont les traductions eurent
en vingt ans au moins vingt éditions. Voltaire, bien que,
sur ce point comme sur d'autres, il hésite et se contre-
dise, la défend presque toujours. « Dieu a donné aux
hommes les idées de la justice et de la conscience »
(1re partie du *Poème sur la loi naturelle*). « La morale est
la même chez toutes les nations civilisées » (Préface de
l'*Essai sur les mœurs*). Elle est, bien entendu, celle de
Rousseau, « conscience, instinct divin », dont nous
reparlerons parce qu'il y met un autre accent et un
autre sens. Elle est même celle de philosophes plus
audacieux, de Morelly, de Delisle de Sales, de Mably.

Pourtant l'hypothèse des idées morales « innées » est
de celles qui gênent nos philosophes. Elle ressemble
trop à ces idées de Descartes dont on ne veut plus ; et
elle contredit Locke en qui l'on croit. Il y eut donc une
tentative pour justifier la morale comme on expliquait
les facultés de l'esprit. Il n'y a pas plus d'idée ou d'instinct inné de la morale qu'il n'y a une mémoire ou un
raisonnement inné. La morale est née, comme le reste,

du jeu des sensations et des impressions. L'homme vit.
Il vit en société. Les tentatives d'organisation sociale
lui révèlent la nécessité de règles permanentes, supé-
rieures aux caprices des individus. L'instinct égoïste
s'aperçoit qu'il a tout intérêt à respecter une partie
des instincts des autres. La morale est ainsi une expérience sociale. C'est la doctrine de La Mettrie. C'est
surtout celle qu'Helvétius n'exprime pas, mais qui est
sous-entendue tout au long de son livre de l'*Esprit*.
A l'origine, tous les esprits sont semblables, et sembla-
blement égoïstes ; c'est l'éducation, fruit de l'expérience
pratique des générations, qui y développe des sentiments
moraux, nés de la pratique et pour la pratique. La doctrine devrait être aussi celle de Diderot ou de d'Holbach, car elle est la seule qui s'accorde avec leur matérialisme. Elle les tente ; ils y glissent ; ils la développent
implicitement ou par parenthèses. Mais sa sécheresse
les inquiète. Et Diderot combat Helvétius comme le
combattent Voltaire ou J.-J. Rousseau.

Quoi qu'il en soit, les partisans de l'instinct moral et
ceux de la morale expérimentale s'accordent sur deux
points essentiels.

Le premier est que si la morale est une règle elle ne
doit pas être une contrainte. Est-ce que, dit « la maréchale » de Diderot, « est-ce que l'esprit de religion n'est
pas de contrarier cette vilaine nature corrompue ? »
La morale naturelle s'efforce au contraire de contrarier
le moins possible. Les philosophes reprennent et précisent les raisonnements de Saint-Evremond, de Fontenelle, qu'ils retrouvent chez les déistes anglais. « La
vertu n'est point une chose qui doive nous coûter »,
dit Montesquieu (*Lettres persanes*).

Il m'a dit : « sois heureux » il m'en a dit assez

enseignent les *Discours* de Voltaire *sur l'Homme* et ces

discours réfutent copieusement les jansénistes et les stoïciens. Morelly, La Mettrie, Maupertuis, Toussaint, Diderot, Delisle de Sales prétendent fonder le règne du bonheur en même temps que celui de la morale. Le bonheur est « le souverain but de la vie » (Maupertuis). « Jouir », chante Saint-Lambert,

Jouir c'est l'honorer [Dieu] ; jouissons, il l'ordonne.

L'accord de la jouissance et de la vertu sera facile dès qu'on aura compris que la morale n'a pas à entrer en lutte contre des passions soi-disant corrompues. Elle doit au contraire admettre que ces passions sont bonnes en elles-mêmes quand on ne substitue pas des passions factices aux passions naturelles. Cette réhabilitation des passions est le thème commun de presque tous les philosophes et d'un grand nombre de moralistes qui ne sont pas des philosophes ou ne le sont qu'à demi. On la retrouve chez Lemaître de Claville (*Traité du vrai mérite de l'homme*, 1734) ; chez Levesque de Pouilly (*Théorie des sentiments agréables*, 1736) ; plus nettement chez Vauvenargues, Duclos, Toussaint, Helvétius, Diderot, d'Holbach, Naigeon, Delisle de Sales et dix autres.

Le second point est que la morale ne peut être qu'une morale sociale. Certes mes passions sont « bonnes, utiles et agréables » pour moi, et je n'agis jamais avec plus d'ardeur que lorsque je leur obéis. Mais celles du voisin sont bonnes aussi pour lui. Il faut donc que je m'accorde avec le voisin. Et la morale est la science de cet accord. Science qui serait peut-être compliquée s'il n'était pas facile, selon les philosophes, d'enseigner que la passion la plus agréable est de s'oublier pour les autres, que la jouissance la plus sûre est celle de « l'humanité ». Septième *Discours* de Voltaire *sur l'Homme* : « La vertu consiste à faire du bien à ses semblables et non pas

dans de vaines pratiques de mortification ». La troi-
sième partie des *Mœurs* de Toussaint est consacrée aux
« vertus sociales ». « Que le législateur, conclut Mably,
ordonne d'accoutumer les jeunes citoyens à juger du
plus grand bien ou du plus grand mal d'une action
par le plus grand avantage ou le plus grand tort qui
résultera pour les autres ». Le *Catéchisme universel*
de Saint-Lambert insistera sur les Devoirs envers les
hommes en général — envers la patrie — envers la
famille. C'était le catéchisme de tous les philosophes,
Turgot, Morellet, Morelly, Delisle de Sales, L. S. Mercier, Raynal. Et c'était aussi bien celui des matérialistes
La Mettrie, Helvétius, d'Holbach et Diderot.

La politique rationnelle. — En même temps qu'elle
discutait les problèmes de la religion et de la morale,
la pensée philosophique abordait hardiment l'autre
grand sujet où les contemporains de La Bruyère se sen-
taient gênés : la politique. A vrai dire, dès la fin du
siècle de Louis XIV, c'est la nécessité qui les y avait
quelque peu contraints. La politique allait si mal,
non pas seulement pour les « taillables et corvéables »,
mais pour les privilégiés eux-mêmes, qu'on se prenait
à douter de la perfection de ses principes. Fénelon, dans
des écrits qui n'étaient pas publics, dans son *Télémaque*
qui l'était, Boisguilbert, dans son *Détail de la France*
(1695), Vauban, dans sa *Dîme royale*, puis Boulainvil-
liers, dans son *État de la France* (1727), ne discutaient
pas l'idée monarchique, ni même la monarchie absolue.
Mais ils lui souhaitaient, à défaut de contrôles, d'états
généraux ou de parlements, du moins des conseillers
et des méthodes plus judicieuses et plus humaines. On
commençait à faire des comparaisons. Après avoir eu
l'horreur de l'Angleterre, qui avait décapité un roi et
fait une révolution religieuse, on se demandait si sa

charte et son parlement, si la liberté politique et la liberté de pensée ne lui avaient pas donné la prospérité. Avec ses théologiens, on lit de plus en plus, entre 1700 et 1730, ses écrivains politiques. On commence enfin à examiner les « principes ». La raison qui prétend « soumettre à son empire » les problèmes de la cycloïde, du tube à mercure, de la chute des corps ou de l'origine des idées, prétend très vite s'enquérir de l'origine des idées politiques, et des motifs qui les condamnent ou les justifient. Examen romanesque dans les utopies dont nous avons parlé, qui forgent les constitutions égalitaires ou communistes des Sévarambes ou de la Terre australe ; examens lourdement méthodiques dans les traductions de Grotius (1687 et par Barbeyrac, 1724) et de Puffendorf (par Barbeyrac, 1706) dont le traducteur Barbeyrac commente les idées avec une audacieuse clarté. De la librairie et du cabinet la discussion commence à passer timidement dans la pratique. Quelques « têtes politiques » s'assemblent au *Club de l'Entresol* (1724-1731) pour discuter du « bien public », du gouvernement et des lois. Et ces discussions timides et privées semblent déjà assez audacieuses pour que l'autorité s'inquiète et que le club soit fermé.

Peu à peu les esprits s'enhardissent. Les *Lettres anglaises* de Voltaire exposent longuement le mécanisme de la constitution anglaise, le contrôle du Parlement, le vote des impôts, la liberté de penser et d'écrire sur les choses de l'État comme sur celles de la religion. Les *Lettres persanes* de Montesquieu discutent du droit public, du droit des gens, de la dépopulation. L'*Esprit des lois* passe hardiment en revue toutes les constitutions et décide que la meilleure est celle où les pouvoirs s'équilibrent, où l'autorité monarchique a pour limite les droits et les libertés des citoyens. Dès 1750 et surtout dès 1760 on peut dire qu'à condition de masquer les

hardiesses sous des allusions et des généralités abstraites,
la philosophie peut discuter librement de politique.

Elle en discute avec des méthodes « philosophiques »
qui diffèrent profondément, à certains égards, de nos
méthodes modernes. La politique doit être pour nous,
autant que possible, une science expérimentale, ou du
moins une science des réalités. La science des gouvernements nous semble fort différente de celle des géomètres ; il ne suffit pas de vérités premières, de théorèmes et de corollaires. Elle ne peut agir sur la vie qu'à
condition de partir de la vie, qui n'est ni vraie, ni fausse,
qui « est ». Cette vie, la science politique peut la trouver
dans l'histoire, dans les exemples du passé, dans l'examen des expériences heureuses ou malheureuses d'une
race, d'un peuple. Surtout si l'on se défie des « leçons
de l'histoire », il y a les faits économiques, les réalités
précises des naissances et des décès, des grains qu'on
récolte, des toiles qu'on fabrique, des navires qui im-
portent ou exportent. Or les politiques du XVIII⁰ siècle
n'ont eu qu'une idée assez confuse de ces deux méthodes.

L'histoire n'existe pas ou elle commence seulement à
s'organiser. Voltaire, puis quelques autres, créent, nous
le verrons, l'histoire moderne. Ils font de l'histoire non
pas la glorification d'un roi, d'une dynastie ou de quelques « grandes âmes », mais l'histoire d'une génération
ou des générations. Ils veulent qu'elle soit non pas
éloquente ou divertissante, mais d'abord exacte. Seulement Voltaire et presque tous les autres n'ont pas
toujours le sens historique. Ils ont bien compris que le
roi n'était pas la nation, qu'un congrès de diplomates ne
nous faisait pas connaître les habitudes d'un boutiquier
ou les révoltes d'un paysan. Mais ils ont mal compris
qu'un boutiquier de Bagdad n'était pas un boutiquier
du Marais, et qu'un paysan des croisades ne se résignait

pas ou ne se révoltait pas pour les mêmes raisons qu'une
« tête ronde » de Cromwell ou un « agriculteur » sujet de
Louis XV. Voltaire juge les actes d'un baron féodal ou
d'un mandarin chinois comme ceux d'un Fleury ou
d'un Turgot. Il prête à un soldat des Croisades la même
âme mercenaire qu'à un racolé de la Guerre de Sept Ans.
Quand Mably cherche les principes des sociétés justes
et heureuses, il ne conçoit pas que la justice ait un idéal
changeant et qu'il y ait pour les peuples des façons très
diverses et inconciliables d'être heureux. Son âme s'unit
« dans l'empyrée » à celle de tous les grands législateurs.
Il « cherche l'approbation de Platon ». Il croit converser
« avec Cicéron à Tusculum ». Or, ni Platon, ni Cicéron
ne concevaient la méthode historique de la politique.
La méthode économique était, au XVIIIe siècle, encore
plus difficile à suivre. Nul ne connaissait la plupart des
réalités économiques ; il n'y avait que des enquêtes
sommaires, aucune statistique précise ; la France était
d'ailleurs infiniment diverse et la vérité d'une province
était l'erreur d'une province voisine. Les informations
méthodiques n'apparaissent guère qu'après 1760 et
elles n'auraient pas suffi à appuyer des conclusions
générales. Les écrivains politiques ont donc cherché
d'autres méthodes.

La méthode psychologique et la méthode naturiste. —
La première était celle qui avait permis de bien comprendre ou de mieux comprendre l'élément des sociétés
humaines, l'homme. Sur la nature de l'homme, sur la
constitution de son esprit, on n'avait édifié que de vains
systèmes tant qu'on n'avait pas raisonné du simple au
composé, tant qu'on n'avait pas discerné ce qui était
primitif et ce qui n'était qu'une transformation des
éléments primitifs. Locke, puis Condillac partent des
sensations et montrent comment elles engendrent l'at-

tention, la mémoire, le jugement, etc... De même, une
société humaine c'est une réunion d'hommes qui se sont
assemblés, pour satisfaire des besoins élémentaires de
vie commune qui étaient en eux. Besoins indiscutables,
puisque ni les lièvres, ni les lions ne vivent en société,
et que l'homme aurait pu vivre comme eux. La tâche
du philosophe sera donc de discerner dans l'esprit
humain — l'esprit de partout et de tous les temps —
ces besoins élémentaires, ces instincts primitifs, puis
d'étudier les meilleures conditions qui puissent, rationnellement, les satisfaire.

C'est la méthode qu'on trouve déjà plus ou moins
confusément dans les voyages utopiques, dans l'*Histoire des Sévarambes*, dans la *Terre australe*, dans les
Voyages de Jacques Massé, dans l'*Ile de Calejava*. Denys
Veiras, Tyssot de Patot et les autres supposent que des
sociétés humaines ont été établies quelque part, raisonnablement, pour satisfaire les tendances premières et
raisonnables de l'être humain. C'est au fond la méthode
de Rousseau dans son premier *Discours sur les sciences
et les arts*. Il y a autre chose, dans ce discours, dont nous
reparlerons. Mais Rousseau se propose surtout de retrouver dans les exigences actuelles de l'homme civilisé ce
qui est primitif, donc légitime (c'est-à-dire la vie de
famille, la mise en commun de quelques intérêts généraux) et ce qui n'est qu'une complication, une perversion
(la curiosité intellectuelle, les arts, le luxe). C'est surtout
la méthode de l'*Esprit* d'Helvétius et des traités politiques de d'Holbach. Ni Helvétius, ni surtout d'Holbach
n'ont été de purs rationalistes ; et nous dirons ce qu'ils
ont demandé à l'observation et à l'expérience. Mais
Helvétius se propose pourtant de reconstruire, par la
psychologie universelle de l'esprit humain, la société
idéale. *Discours* I : *De l'esprit en lui-même*, où nous
voyons que l'esprit est une matière plastique qui est

la même partout et toujours et apte, par conséquent,
à prendre toutes les formes. Ce qui nous conduit au
Discours II : *De l'esprit par rapport à la société*, où l'on
montre que l'esprit dans ses formes particulières est
entièrement modelé par les conditions sociales ; et au
Discours III, où l'on voit que par l'éducation on peut
former les sortes d'hommes, donc les sortes de sociétés
que l'on veut. D'Holbach, instruit sans doute par
Diderot, n'admet pas cette psychologie un peu naïve
d'Helvétius. Il sait qu'un esprit, à sa naissance, apporte
les prédispositions puissantes de sa race, de son hérédité.
Mais il y a tout de même et il trouve (surtout dans la
*Politique naturelle ou Discours sur les vrais principes du
gouvernement*, 1773) des besoins primordiaux, des tendances naturelles, donc raisonnables, et dont on peut
assurer rationnellement la satisfaction : instinct de
sociabilité qui coexiste avec l'instinct égoïste, sentiment
immédiat des sacrifices que l'égoïsme doit consentir
pour son propre intérêt inséparable de l'intérêt commun.
L'art de légiférer et de gouverner est l'art raisonné de
fonder sur ces besoins premiers, permanents, universels,
les droits et les devoirs de l'autorité et des citoyens,
les méthodes d'éducation, les récompenses et les
peines, etc...

La deuxième méthode n'est déjà plus strictement
abstraite. On a appris assez vite, au XVIIIe siècle, à se
défier des principes cartésiens et de la raison universelle. On réfléchit qu'il n'est pas très sûr qu'on puisse
ramener une société à l'addition d'esprits tous semblables, comme le géomètre divise cent pieds carrés en
cent parties strictement identiques. On part donc non
plus d'un esprit primitif, mais de la société primitive.
On évite ainsi une hypothèse obscure, celle du passage
de l'égoïsme individuel à l'esprit social. Mais on procède
tout de même et tout de suite par hypothèse et la mé-

thode est analogue à la méthode psychologique. La
méthode psychologique tentait d'écarter tout ce qui
n'était pas primitif dans l'esprit ; la méthode sociale
tente de retrouver ce qu'il y a de primitif dans la complexité des sociétés contemporaines. C'est une méthode
qu'on peut appeler naturiste en ce sens qu'elle prétend
se fonder sur l'étude de sociétés constituées selon les
seules exigences de la nature.

Le grand maître de cette doctrine est assurément
J.-J. Rousseau, le Rousseau du *Discours sur l'origine
de l'Inégalité parmi les hommes* (1754). Lui non plus
n'est pas ou ne croit pas être un pur raisonneur. Il veut
— nous le montrerons — appuyer ses hypothèses sur
des faits. Mais nous avons bien peu de faits ou Rousseau
en avait bien peu pour reconstituer la société primitive.
Il complète donc. Il suppose. Il aboutit ou croit aboutir
à des groupements fondés seulement sur la vie de famille, sur le goût naturel de l'entr'aide et qui ne connaissent ni la propriété, ni la division du travail. Et
puis apparaissent, dès qu'on cultive la terre, la propriété,
l'industrie, le commerce, et avec eux l'inégalité, les
vices des uns, la misère et l'envie des autres, le despotisme, les maux sociaux. La *Lettre à d'Alembert* est
l'application à un cas particulier, les méfaits du théâtre,
de la thèse générale.

Mais si Rousseau a donné à la doctrine son éclat et
sa puissance, s'il en a révélé les conséquences profondes,
il n'a guère fait que la recueillir. Elle était bien vieille
en 1754. Et ces lointaines origines en transforment pour
une part la signification. Depuis longtemps des missionnaires et des voyageurs visitaient des sauvages qui
vivaient ou semblaient vivre selon la nature, sous des
tentes ou des huttes, sans théâtre, sans livres, sans collèges et sans parlement. On avait d'abord raconté leurs
mœurs, puis dès le XVIᵉ siècle (il y paraît à lire Montaigne).

surtout à la fin du XVIIe siècle et à travers le XVIIIe, on les avait jugées et comparées. Et presque toujours la comparaison s'était prononcée en leur faveur contre les prétendues sagesses des civilisés. Même ceux qui louaient leur simplicité, leur bonhomie et enviaient leur bonheur n'étaient pas de ces voyageurs qui ont beau mentir puisqu'ils viennent de loin. C'étaient presque toujours des missionnaires, des gens graves, incapables de pécher par mensonge. Aussi raisonner sur des sociétés selon la nature, dépouiller, pour la commodité de la discussion, les groupes sociaux des complications des sociétés civilisées, ce n'était pas du tout, ni pour Rousseau, ni pour ceux qui le précèdent ou le suivent, discuter dans l'abstrait et partir d'une hypothèse. C'était au contraire s'appuyer sur une réalité certaine. Croire au bonheur des sociétés réduites aux conventions les plus simples de la vie sociale, ce n'était pas imaginer une utopie, c'était accepter un fait d'observation.

Quoi qu'il en soit, ils ont usé et abusé des renseignements. Dès le XVIIe siècle, il y a quelque soixante-dix ouvrages pour parler des sauvages ou les vanter. De 1700 environ jusqu'en 1750 on en compte pour le moins soixante ; et les auteurs dramatiques, les conteurs, les romanciers exploitent abondamment le thème des sagesses et des félicités caraïbes ou huronnes. Rappelons l'*Ile de la Raison* de Marivaux, les Troglodytes des *Lettres persanes*, les sauvages Abaquis du *Cléveland* de l'abbé Prévost, les *Aventures de M. Robert Chevalier, dit de Beauchêne*, de Lesage, l'*Alzire* de Voltaire, les *Lettres péruviennes* de Mme de Graffigny. Après Rousseau, les enthousiasmes et les regrets se multiplient. Là, comme ailleurs, Rousseau mit un accent. De ce qui était surtout une curiosité ou un divertissement il fait un regret amer, une nostalgie impérieuse. On ne songe plus à la vie selon la nature ; on y aspire avec violence.

Et il n'est pour ainsi dire pas un poète, pas un romancier,
pas un « législateur », pas un moraliste qui n'écrive son
idylle, sa fiction, son traité ou son chapitre de traité.
Il faudrait citer une centaine d'ouvrages ou de textes
importants, les poètes : Saint-Lambert, Léonard, Parny ;
les romanciers ou conteurs : Voltaire, Marmontel, Restif
de la Bretonne, Dorat, Bernardin de Saint-Pierre ; les
auteurs dramatiques : Favart, Chamfort, etc... etc...
Les politiques sont presque tous d'accord avec Rousseau.
Morelly (*Code de la nature*, 1755) étudie l' « État de
l'homme au sortir des mains de la nature » et « les traits
admirables de l'humanité des peuples d'Amérique » qui
« peuvent bien nous nommer sauvages ». Mably plaide
pour les sauvages des États-Unis contre les peuples qui
cultivent le commerce et qui chérissent les richesses.
Raynal admire tour à tour les Paraguayens, les Indiens,
les Caraïbes, les Hottentots. Brissot de Warville fait
l'éloge de la loi de nature et de Taïti : Delisle de Sales
est d'accord avec Brissot. Linguet qui déteste les philosophes aime pourtant les sauvages autant qu'eux.
Les pamphlétaires, qui se multiplient à partir de 1770,
changent en faveur des sauvages leurs sarcasmes en
lyrismes « Oh ! les heureuses nations ! Oh ! les aimables
hommes ! Quelle douceur dans les mœurs ! Quelle simplicité dans les lois et les usages ! » (Rouillé d'Orfeuil,
L'Alambic des lois, 1773).

Les conséquences des deux méthodes. — Les deux
méthodes, psychologique et « naturiste », entraînaient
des conséquences en apparence fort différentes. L'analyse de l'esprit humain révélait évidemment un progrès.
Racine, Locke, Newton étaient supérieurs aux sorciers
des sauvages ou même aux « philosophes » et aux astro-
nomes des Guèbres et des Egyptiens. Ils leur étaient
très supérieurs, non pas par l' « enthousiasme » ou le

« sentiment », mais par la raison. C'est l'intelligence méthodique et raisonnante qui a assuré le progrès de l'esprit humain. Pourquoi ne pas croire qu'elle peut assurer aussi le progrès collectif, le progrès social ? Les sociétés ont donc devant elles un avenir « philosophique » qui peut être préparé par les philosophes et par ceux qui les écouteront. La plupart des philosophes ont cru à cet avenir, à leur rôle et à celui de leurs disciples. Ils ont écrit, non pas pour la foule qui de longtemps sera incapable de les comprendre, mais pour ceux qui peuvent faire l'instruction de la foule, lui donner des lois, former ses mœurs. Toute l'espérance de Voltaire, d'Alembert, Helvétius, d'Holbach et même Diderot est qu'un jour viendra « où les philosophes seront rois, ou du moins les rois philosophes ». Le progrès social est donc dans une organisation raisonnable des sociétés par l'intelligence philosophique. Toute cette espérance se devine dans le *Discours préliminaire* de l'*Encyclopédie* où d'Alembert expose les progrès de l'esprit humain. Elle s'étale dans l'*Esquisse d'un tableau de l'esprit humain* de Condorcet (1794). Il semble que tout l'effort humain ait eu pour raison de préparer la raison d'un Condorcet et de ses amis et que leur tâche soit, en retour, d'assurer le bonheur des hommes.

La conclusion de la méthode naturiste va, en apparence, à l'opposé. Car en découvrant les formes élémentaires des sociétés humaines, elle ne les juge pas rudimentaires. Elle enseigne, au contraire, le plus souvent qu'elles sont les meilleures et que le malheur de l'homme est de n'avoir pas su s'y tenir. Le progrès n'est donc pas dans le perfectionnement des sociétés, mais dans un renoncement aux prétendus perfectionnements. Il est non pas en avant, mais dans un retour en arrière. Et ce retour, loin d'accroître le rôle de l'intelligence, supprimera, au contraire, toutes sortes d'activités

d'esprit qui sont inutiles ou dangereuses. On n'a pas
reculé parfois devant les plus brutales de ces conséquences.

Ce n'est pas Rousseau, quoi qu'en aient dit Voltaire
et cent critiques depuis lui. Il a bien expliqué que l'homme n'a jamais été plus neureux qu'à l'époque où il
courait les savanes, par petits groupes familiaux, sans
rien posséder que son arc ou sa massue. Mais il a dit
et répété vingt fois qu'on ne remontait pas le cours
des temps et que les sociétés ne peuvent pas se plier
aux démonstrations des philosophes. On peut arrêter
les sociétés sur la pente fatale ; on ne les ramène pas
à l'équilibre primordial. Chaque fois que Rousseau écrit
pour la pratique, pour Genève, dans la *Lettre à d'Alembert* ou les *Lettres de la Montagne*, pour les Corses dans
la *Lettre à M. Buttafoco*, pour les Polonais dans les
Considérations sur le gouvernement de Pologne, il songe
à des Genevois, des Corses, des Polonais contemporains,
non à des « citoyens du monde » et à des apprentis
sauvages. Le *Contrat social* est une œuvre à part, dont
nous reparlerons. Mais il y a eu, avant Rousseau et
après lui, des raisonneurs plus audacieux et qui n'ont
pas hésité à proposer l'abolition des formes les plus
anciennes de la vie sociale, telles que la propriété.
L'*Histoire des Sévarambes*, le *Télèphe* de Pechméja (1784)
n'évoquent le communisme que comme une utopie
romanesque. Le *Testament* du curé Meslier, qui circule
en manuscrit depuis 1730, le ministre d'Argenson
en parlent déjà avec plus de sérieux. Morelly surtout
dans sa *Basiliade* (1753) et son *Code de la nature* (1755)
propose avec conviction qu'on y revienne : « Lois
fondamentales et sacrées : Rien dans la société n'appar-
tiendra singulièrement ni en propriété à personne,
que les choses dont il fera un usage actuel, soit pour
ses besoins, ses plaisirs, ou son travail journalier ».

Aux approches de la Révolution les faiseurs de systèmes, qui se multiplient et dont quelques-uns se divertissent visiblement à extravaguer, ébauchent ou précisent des systèmes socialistes. Mais, au total, ce sont des audaces ou des fantaisies tout à fait dispersées dont les lecteurs ont été rares et dont rien avant la Révolution ne marque l'influence. Et presque toujours les deux méthodes loin de suivre leurs routes divergentes ont pris des chemins de traverse par où elles se sont très vite rencontrées.

Sans cesser de croire aux progrès de l'esprit humain et à l'avenir de la raison philosophique, les défenseurs de ce progrès ont convenu volontiers que dans les perfectionnements apparents de nos cervelles civilisées tout n'était pas du meilleur aloi. Parmi les idées les plus raisonnables à première vue, il pouvait y avoir bien des « préjugés » ; et la raison des civilisés pouvait avoir beaucoup à apprendre de la raison « naturelle ». Les sauvages nous montrent, pour ainsi dire à l'état pur, ce bon sens universel dont la raison philosophique n'est qu'un habile perfectionnement. C'est pour cela que Voltaire qui n'aime pas les sauvages de Rousseau peut avoir tant d'indulgence pour les siens : « Je crains de ne pouvoir atteindre au bon sens naturel de cet enfant presque sauvage [le Huron l'Ingénu] ». C'est pour cela que Diderot, qui n'a pas le moindre désir de renoncer ni aux arts, ni aux sciences, ni même à la propriété s'amuse à nous faire une peinture scandaleuse et touchante du bonheur des Taïtiens. D'autre part, les partisans de la société « naturelle » ne contestent pas le plus souvent qu'on ne peut pas revenir à la pure nature ; on ne peut trouver dans son étude que des indications. Seule la raison philosophique est capable de les discerner, de les interpréter, d'en dégager des conseils pour le présent. Ainsi les uns et les autres se rencontrent pour faire confiance à la « philosophie ».

Il est donc très vrai que cette philosophie est une force de raisonnement abstraite qui prétend légiférer dans l'absolu, pour l'absolu. Tocqueville, puis Taine, Cournot et cent autres après eux ont insisté sur ce goût de la spéculation du XVIIIe siècle pour les politiques abstraites. Ils ont allégué copieusement toutes les raisons que nous avons étudiées et d'autres. Ils ont rappelé, à juste titre, que presque tous nos philosophes, qu'ils regrettent l'état de nature ou qu'ils s'en défient, prenaient comme point de départ un contrat ou un pacte social conclu par la raison et pour une existence sociale « raisonnable ». Ce contrat rationnel est dans le *Contrat social* de Rousseau ; il est dans Mably ; il est dans d'Holbach (*Politique naturelle*. Discours I, § 6 : *Du pacte social*). Or, ce pacte, c'est un raisonnement, ce n'est pas une réalité. Et Tocqueville, Taine et Cournot se sont étonnés ou indignés que nos philosophes aient fait ainsi une « politique abstraite et littéraire », qu'ils aient ignoré les réalités invincibles des traditions sociales, qu'en raisonnant en dehors du temps ils aient lancé dans des utopies absurdes la vie nationale, façonnée jusque-là par le temps et incapable de vivre sans lui. « Effrayant spectacle ! ». Ce n'est pas mon rôle de dire s'il fut bienfaisant ou funeste. Mais il est aisé de prouver qu'il n'a existé, tel qu'ils l'ont vu, que dans l'imagination de Cournot, Taine ou Tocqueville. Il y a au XVIIIe siècle un goût profond pour le raisonnement abstrait. Mais il y a un besoin nouveau et par là même plus ardent et plus profond encore pour les réalités, pour l'observation et l'expérience.

TROISIÈME PARTIE

L'ESPRIT NOUVEAU
L'OBSERVATION ET L'EXPÉRIENCE

———

CHAPITRE PREMIER

LE SENTIMENT DE LA DIVERSITÉ
ET DE LA COMPLEXITÉ HUMAINES

———

NOTICE HISTORIQUE : Montesquieu (1689-1755) fut conseiller, puis président au parlement de Guyenne. Il vécut d'abord à Bordeaux ou à Paris, courant les salons, s'intéressant aux sciences (il lit à l'Académie de Bordeaux des mémoires sur les *Causes de l'écho*, l'*Usage des glandes rénales*, la *Pesanteur des corps*). En 1721 il publie les spirituelles et mordantes *Lettres Persanes* qui lui donnent tout de suite la célébrité. Il délaisse Bordeaux pour Paris, publie un *Dialogue de Sylla et d'Eucrate* (1722), le poème en prose galante du *Temple de Gnide* (1725) et est élu à l'Académie. En 1726 il vend sa charge de président, voyage en 1728-1729 en Allemagne, Autriche, Hongrie, Italie, Suisse, Hollande, regardant, interrogeant, prenant des notes ; et séjourne en Angleterre en 1729-1731.

A son retour il se fixe à son château de la Brède d'où il publie, en 1734, les *Considérations sur les causes de la grandeur des Romains et de leur décadence* et, en 1748, *L'Esprit des Lois* qui eut un retentissement prodigieux. Souffrant, à demi aveugle, il ne publia plus ensuite que des opuscules.

Les deux principaux auteurs d'opéras-comiques, très célèbres au XVIIIᵉ siècle, furent Favart (1710-1792) qui fit jouer *La Chercheuse d'esprit* (1741), puis, en collaboration sans doute avec sa femme, *Annette et Lubin* (1762), *Les Moissonneurs* (1764), etc... et Sedaine (1717-1797) qui a écrit *Rose et Colas* (1764), *Les Sabots* (1768), *Le Déserteur* (1769), etc... et un « drame », *Le Philosophe sans le savoir* (1765).

La géographie et l'histoire. — L'esprit classique est, pour une part, le sentiment et la recherche des identités. Ni Racine, ni Boileau, ni Descartes ne doutent qu'il y ait une beauté et une raison universelles et permanentes et que la Phèdre d'Euripide, celle de Racine ou une Roxane du Grand Sérail ne puissent se comprendre exactement et parler le même langage. Sans doute, dès l'époque classique, on fait des réserves, on a des curiosités et des inquiétudes. Mais, dans l'ensemble, la philosophie et la littérature classiques suppriment le temps et l'espace. Or, le XVIIIᵉ siècle a tout fait pour les retrouver.

Il est d'abord le siècle des voyages : Voltaire visite l'Angleterre, l'Allemagne, la Suisse et, plus ou moins, la Hollande. Montesquieu voyage trois ans, en Allemagne, Suisse, Italie, Angleterre. Rousseau ira, sans le désirer d'ailleurs ou de mauvais gré, en Italie, en Allemagne, en Angleterre. Diderot visite la Hollande, l'Allemagne, la Russie. Beaumarchais court l'intrigue à travers l'Europe, d'Espagne en Angleterre ou en Autriche. D'Holbach connaît l'Allemagne et l'Angleterre. Condillac est précepteur du prince de Parme. Bernardin de Saint-Pierre est à peu près, un « dromomane », chassé par son humeur inquiète à travers toute l'Europe.

Chénier connaît l'Angleterre et visite l'Italie. Pour ceux qui ne voyagent pas ou qui ne peuvent pas aller assez loin, toute une littérature multiplie les voyages documentaires et pittoresques. C'est la collection, poursuivie pendant plus de soixante-dix ans, des *Lettres édifiantes et curieuses écrites des missions étrangères*. C'est, en vingt et un volumes, publiés en vingt-cinq ans, l'*Histoire générale des Voyages*, de l'abbé Prévost, qui lui valut plus de lecteurs et plus d'argent que ses romans. Ce sont de luxueuses publications, des volumes in-folio, ornés d'innombrables estampes : *Le Voyage pittoresque de la Grèce*, de Choiseul-Gouffier, *Les Tableaux topographiques, pittoresques, etc... de la Suisse*, de J.-B. Delaborde et Zurlauben, *Le Voyage pittoresque de Naples et de Sicile*, par l'abbé de Saint-Non, cent autres récits, mémoires, journaux qui mènent le lecteur à travers les continents et les océans. C'est aussi bien l'époque où l'on reprend les grands voyages maritimes de découvertes qui passionnent l'opinion publique. On lit avidement *Le Voyage autour du Monde*, de l'amiral Anson, les explorations de Cook ou de Bougainville.

Les œuvres des grands écrivains, sérieuses ou badines, reflètent ce goût des promenades à travers le vaste monde. Les romans, les contes, les tragédies, drames, comédies, opéras-comiques sont constamment orientaux, chinois, égyptiens, péruviens, indiens, ou prétendent l'être. Sans doute l'exotisme n'y est très souvent qu'un costume ou un déguisement. Babylone, c'est Paris, et les dervis nos prêtres. Mais souvent aussi l'exotisme est sincère. On fait effort pour n'être plus ni parisien, ni français, ni européen, ni civilisé. Au lieu de l'homme de tous les pays, on veut peindre celui qui n'est pas du tout de notre pays. On demande au lecteur de réfléchir sur la diversité des mœurs, sur l'infinie variété des usages et des croyances. Les Persans des

Lettres persanes de Montesquieu ont bien sur le mariage
et les rapports des sexes des idées de Persans. Voltaire
a vraiment voulu être chinois dans *L'Orphelin de la
Chine* et américain dans *Alzire*, comme Mme de Graffigny est ou s'efforce d'être péruvienne dans les *Lettres
d'une Péruvienne*, Saint-Lambert indien dans *Ziméo*,
Marmontel inca dans *Les Incas* et cent autres hurons,
algonquins, caraïbes, barbares ou taïtiens. Chénier
projette d'écrire *L'Amérique*. Les poèmes descriptifs de
Roucher et de Saint-Lambert évoquent les déserts,
les forêts vierges, les tropiques. Le *Voyage à l'Ile-de-
France*, les *Etudes de la nature* de Bernardin de Saint-
Pierre sont les études de natures surprenantes qui nous
mènent des steppes glacées aux rivages éclatants des
« Iles ». L'*Histoire naturelle* de Buffon est un voyage
à travers tous les climats. Il y a peut-être dans l'homme
un principe permanent et universel. Mais on convient
de plus en plus qu'il y a une partie animale qui change,
et l'on commence à croire qu'elle entraîne la partie
spirituelle.

L'histoire vient d'ailleurs confirmer la géographie.
Le sens historique a été, nous l'avons dit, très lent à se
développer et il a été jusqu'au bout hésitant et souvent
naïf. Pourtant on acquiert assez vite et assez profondément le sentiment de la diversité des temps. Voltaire,
sur ce point, a vraiment créé ou achevé de créer l'histoire moderne. Son *Essai sur les mœurs et l'esprit des
nations* est une étude judicieuse et pénétrante de la
différence des mœurs et de l'esprit à travers les races et
les temps. Assurément il n'a pas tout compris. Il a été
incapable de discerner ce qui gênait trop profondément
ses partis-pris de philosophe et de polémiste. Il ignore les
forces mystiques. Il ne comprend pas que les nations
et les races puissent être assemblées, maintenues, sou-
levées par des croyances qui sont raisonnablement

déraisonnables, mais qui sont pratiquement des forces
bienfaisantes. Il a dit ainsi bien des sottises sur le
Moyen-âge, sur l'Orient, sur tout ce qui déconcertait ses
habitudes d'analyse et de « bon sens ». Mais tout de
même il a écrit son *Essai* pour montrer que les mœurs
humaines sont infiniment diverses et qu'il y a des « esprits » et non pas un esprit des nations.

Plus clairement encore que l'*Essai sur les mœurs*,
L'Esprit des Lois, de Montesquieu a imposé cette idée
que pour comprendre l'histoire et les institutions des
hommes il fallait s'attacher non pas aux ressemblances,
mais aux différences. Sans doute *L'Esprit des Lois* est
en partie conduit ou même déduit par la raison raisonnante qui prétend dégager de la diversité des lois humaines l'unité et la simplicité des lois rationnelles.
Montesquieu n'étudie pas les despotismes, les monarchies, les républiques, mais le despotisme, la monarchie,
la république, et il est convaincu, ou il en a l'air, qu'ils
reposent de Pékin à Londres, et des Esquimaux aux
Patagons sur le principe que la raison de Montesquieu
en dégage. Il y a aussi bien dans *L'Esprit des Lois* un
idéal de l'organisation des lois qui a les apparences
d'un idéal rationnel. Ce bel « équilibre des pouvoirs »,
cette savante combinaison de forces agissantes et de
forces stabilisantes est bien construit comme une théorie abstraite du gouvernement parfait. Pourtant derrière la théorie il y a, et aucun lecteur ne l'ignore, la
réalité précise et vivante de l'Angleterre. Derrière
l'étude du principe despotique, monarchique, républicain, il y a l'étude historique et réaliste des despotismes,
monarchies, républiques. Il y a la démonstration que
l'humanité n'a pas tout pouvoir de choisir raisonnablement son principe de gouvernement. Elle est comman-
dée par le « climat » et la race. Surtout ni la théorie des
gouvernements, ni l'équilibre des pouvoirs ne sont la

partie essentielle de l'œuvre de Montesquieu. Ce n'est
pas, quoi qu'on ait dit, celle qui a eu le plus d'influence ;
la savante harmonie de la constitution anglaise a été
très vite et très énergiquement discutée. Ce qui a le
plus séduit et ce que Montesquieu a sans doute préféré,
c'est l'étude non pas de ce qui rapproche, mais de ce qui
diversifie les lois.

Ce sont les livres où Montesquieu étudie successivement comment les lois doivent être adaptées au climat,
au « terrain », à l'« esprit général ». En un mot c'est
la théorie réaliste que Montesquieu oppose aux théories
rationnelles d'un Grotius, d'un Puffendorf et de dix
autres. Il ne cherche plus quelle est la loi la plus conforme, théoriquement, à la nature ou à la raison de
l'homme. Les lois sont « les rapports nécessaires qui
dérivent de la nature des choses ». C'est-à-dire qu'il y
a autant de rapports qu'il y a de choses. Ces choses
sont le climat ardent ou froid, le sol fertile ou stérile,
montagneux ou de plaine, maritime ou continental,
l'esprit général, c'est-à-dire les mœurs créées peu à peu
par les générations soumises à ce climat et à ce terroir ;
elles sont nécessairement très différentes selon qu'on
est en Chine ou en France, en Hollande ou en Italie. Les
lois qui leur seront bonnes seront celles qui seront fondées sur ces différences et non pas sur ce qu'on peut, en
raisonnant, trouver de commun entre un Chinois, un
Français, un Hollandais et un Italien. Une moitié de
L'Esprit des Lois est une étude si l'on peut dire « géo-
graphique » des lois. Elle est non pas un raisonnement
sur les lois, mais une observation réaliste des lois.

Aux systèmes abstraits, au rationalisme théorique
et funeste des philosophes du XVIIIᵉ siècle, Taine a
opposé les réalités qui façonnent les âmes humaines
sans jamais se soucier qu'elles se ressemblent : le milieu,
la race et le moment de l'histoire. Mais c'est justement

au xviiiᵉ siècle que s'est organisée, par Montesquieu et
par bien d'autres, la théorie du milieu et de la race.
Taine reconnaissait qu'il ne l'avait pas inventée. Il
croyait pourtant qu'elle n'était guère avant lui qu'une
idée passagère et dispersée. Elle est au contraire, au
xviiiᵉ siècle, une idée commune, longuement discutée
et perfectionnée. Elle façonne, pour une part, la littérature, la politique et la philosophie. Déjà la théorie
des climats s'ébauche chez l'érudit Baillet, Fénelon,
Chardin, La Motte-Houdart, Huet, Fontenelle, l'abbé
Dubos, à la fin du xviiᵉ et dans le premier tiers du
xviiiᵉ siècle. Elle se précise très vite chez Voltaire
(malgré des réserves), d'Argens, Turgot, Diderot. Et
elle se traduit, vers 1760, par des discussions et dissertations où il semble souvent que ce soit Taine
lui-même qui raisonne. « Ce qui produit les grandes
œuvres, dit Diderot, c'est... l'heureuse influence des
mœurs, des usages et du climat ». Ossian, explique
Turgot, c'est le climat de la Calédonie. « L'homme de
génie, démontre Helvétius, n'est donc que le produit des
circonstances dans lesquelles cet homme s'est trouvé » ;
ainsi s'explique qu'on se soit lassé de Corneille après
l'avoir si vivement admiré lorsque ses caractères étaient
« analogues à l'esprit du siècle ». La *Bibliothèque des
romans* se propose de donner « une petite géographie
littéraire ». C'est en 1765 que l'abbé Pichon publie
La physique de l'histoire, et en 1769 que J.-L. Castilhon
développe des *Considérations sur les causes physiques
et morales de la diversité du génie, des mœurs et du gouvernement des nations.*

La littérature. — Si les climats et les races agissent
sur les lois et les mœurs des nations, ils agissent aussi
sur la littérature. Et la littérature peut rendre ces différences sensibles à ceux qui ne voyagent pas en Italie, en

Angleterre ou en Orient, c'est-à-dire au plus grand nombre. Car les livres viennent à eux par les traductions. Or, au XVIIIᵉ siècle, et surtout dans la 2ᵉ moitié, la littérature devient réellement « cosmopolite ». On le dit, pour s'en réjouir ou pour s'en plaindre. Sans doute on a toujours lu, en France, des œuvres étrangères. Notre XVIᵉ siècle est en grande partie à l'école de l'Italie et un peu moins de l'Espagne, notre XVIIᵉ à celle de l'Espagne et un peu moins de l'Italie. Le XVIIIᵉ siècle oublie l'Espagne et garde l'Italie. Mais le XVIᵉ et le XVIIᵉ lisaient des Italiens et des Espagnols parce qu'ils ressemblaient à des Français. Jamais ils n'ont dit : nous les lisons parce qu'ils sont étrangers, pour nous changer de nous-mêmes. Au XVIIIᵉ siècle, au contraire, la curiosité se promène à travers les peuples les plus divers pour le plaisir de la diversité. « J'en lis, disait La Fontaine, qui sont du Nord et qui sont du Midi » ; le Nord n'était pour lui qu'une figure de style et ne dépassait pas la Seine. Au XVIIIᵉ siècle, c'est l'Angleterre, l'Allemagne, la Scandinavie et tous les peuples qui ont écrit quelque chose. Le goût cosmopolite devient une manie. C'est « l'anglomanie » et « l'étrangéromanie ». Le mouvement est tout de suite puissant. Il devient, à partir de 1750, irrésistible.

Il faudrait, pour en montrer la profondeur, dénombrer toutes les traductions ou adaptations d'ouvrages anglais, suisses, allemands, persans ou indous, hollandais ou danois. La liste en serait interminable. Disons seulement que, de 1750 à la Révolution, on traduit ou adapte plus de cent romans anglais. J'ai compté les romans portés au catalogue de cinq cents bibliothèques privées, de 1740 à 1760. Ceux qu'on y rencontre le plus fréquemment (après les *Lettres péruviennes*, de Mme de Graffigny), ce sont des romans de Richardson et de Fielding. Si l'on fait la statistique des neuf romans qu'on catalogue le plus souvent dans ces bibliothèques, on trouve 1698 volumes de romans anglais contre 497 volumes de romans français. Le Manuel bibliographique de la littérature française de M. Lanson, qui est un Manuel et qui s'en tient, par nécessité, à l'essentiel, énumère 20 traductions de l'espagnol, 52 de l'italien, 245 de l'anglais, 76 de l'allemand, 20 de littératures diverses. Le *Journal étranger* est fondé pour faire connaître les littératures étrangères. Mais des journaux comme l'*Année littéraire*, de Fréron, la *Gazette littéraire*, d'Arnaud et Suard, le *Journal encyclopédique* font une très large part aux comptes-rendus d'ouvrages qui ne sont pas français.

Evidemment à travers ces quatre-vingt-dix années, de 1700 à la Révolution, il y a des évolutions, des discussions, des retours. Certains étrangers ne comptent pas ou ne comptent guère parce qu'ils ne sont étrangers que d'apparence ou que les traductions en éliminent aisément tout ce qui n'est pas strictement au goût de France. Il reste pourtant que tout en demeurant français le goût devient insensiblement, puis hardiment, un autre goût et même un goût qui est la négation du goût, de la règle, de la raison classiques. Il n'y a pas, vers 1770 ou 1780, d'école littéraire romantique parce que les révoltés ne se sont pas groupés et parce que pour justifier des théories audacieuses ils n'ont écrit que des œuvres médiocres. Mais on condamne et on insulte tout ce que mépriseront les cénacles romantiques ; et l'on revendique à peu près tout ce qu'ils croiront avoir découvert.

Malgré quelques réserves le principe classique est bien qu'il existe un modèle immuable de la beauté. Il y a eu, de tout temps, un bon et un mauvais goût qui restent les mêmes, dont on peut découvrir très exactement les règles précises. Sur ce point, la querelle

des anciens et des modernes oppose non des doctrines,
mais des interprétations de la Doctrine. Boileau,
Racine, La Bruyère et les autres affirment que les
anciens ont découvert et appliqué ces règles avec une
telle perfection que les modernes doivent les imiter
et ne peuvent tout au plus que les égaler. Perrault,
La Motte et Fontenelle pensent, au contraire, que la
science du beau, comme toutes les sciences, doit pro-
gresser avec le temps et l'expérience et que les modernes
sont capables d'écrire de meilleures tragédies ou de
meilleures épopées comme ils font de meilleures mathématiques et de meilleure astronomie. Mais l'objet de
leurs recherches reste le même, c'est le beau absolu.
« De l'immuable beau, dit Perrault,

> Les brillantes idées
> Sont dans un grand palais soigneusement gardées ».

Pourtant, vers 1730, on commence à croire que personne ne découvrira ce palais, parce qu'il n'existe pas.
On s'aperçoit que tous ceux qui prétendent y avoir
pénétré en font des descriptions fort différentes. Encore
pourrait-il y avoir quelque apparence de concorde si
on ne lisait que Sophocle, Virgile, Horace, Racine,
Boileau, les Grecs, les Latins, les écrivains du grand
siècle. Mais on découvre *Les Mille et une nuits*, Milton,
Swift, Shakespeare, Dante. Même si l'on déclare qu'ils
sont « barbares », on doit constater que les Anglais et
les Italiens les admirent. Cela ne veut-il pas dire que le
beau est « relatif » et qu'il n'y a pas de goût « absolu » ?
On hésite, avant 1750, devant cette doctrine sceptique.
On étaie d'un côté le beau permanent qu'on ébranle
de l'autre. Mais, tout de même, le scepticisme est bien
près de s'imposer. L'abbé Dubos, dans un livre célèbre
et qui devient en quelques années classique (*Réflexions
sur la poésie et sur la peinture*, 1719), s'arrête à des

convictions qui confirment celle de Boileau : les grands écrivains grecs, latins, français ont bien trouvé le beau, le plus parfait et même le seul. Mais il ne sert de rien de vouloir l'analyser et l'enseigner par la raison. On le « sent » et il n'y a pas d'autre preuve de ce sentiment que son existence et sa permanence. Vers 1750, les théoriciens ne s'accordent pas exactement sur ce qu'il faut donner au sentiment et laisser à la raison. Mais c'est une doctrine commune, banale et même scolaire qu'il est impossible de croire à un beau permanent, à des règles méthodiques et universelles du goût. Diderot écrit pour l'*Encyclopédie* un article *Beau* que l'on joint au *Prospectus*, qui sert de spécimen. C'est, par conséquent, un exemple de méthode qui ne fut pas choisi pour scandaliser les lecteurs. Diderot y fait, sans les nommer, le procès des Boileau et des Perrault ; il démontre l'impossibilité du beau universel ; il conclut qu'il y a douze raisons pour que les hommes diffèrent dans leur conception du beau. Ce n'est pas une audace de la philosophie ou du romantisme de Diderot. Quand on y regarde de près on s'aperçoit que l'article n'est, pour une grande partie, qu'une intelligente compilation des théories de ceux que Diderot nomme ou ne nomme pas, le P. André, Hutcheson, Shaftesbury, le P. Buffier et d'autres. La plupart de ces discuteurs sont ou ont été des régents de collège ; ce qu'ils disent, on l'enseigne. On ne croit décidément plus que le beau puisse être démontré et fixé par la seule raison.

Il peut y avoir loin d'ailleurs d'une philosophie du beau à la pratique littéraire. Mais l'espace a été vite franchi. Dès 1760, plus largement après 1770, c'est par dizaines que l'on compterait les traités ou les chapitres, par centaines les remarques et les boutades où les préceptes chers à Boileau sont reniés.

Les règles, même les plus vénérables, chancellent et

croulent. Très souvent les drames de Diderot, de L. S.
Mercier, de Baculard, d'Arnaud et des autres respectent
la règle des trois unités. Souvent aussi on l'oublie ou
la bafoue ; et c'est, avec elle, tout l'édifice des règles
qui s'effondre. « Un génie éclairé de lumières profondes
juge l'usage avant que de s'y soumettre... Règles,
préceptes, coutumes, rien ne l'arrête ; rien ne ralentit
la rapidité de sa course qui, du premier essor, tend
au sublime ». Car son goût est le *goût de génie* et son
beau le *beau de génie*. Et ce génie est comme « un rocher
dont la hauteur et l'escarpement effraie ; sa cîme qui
déborde de beaucoup ses fondements paraît suspendue
dans les airs... ». C'est Séran de la Tour qui parle ainsi,
en 1762. Il y met encore de la politesse. D'autres comme
L.-S. Mercier (1778) ou Dorat-Cubières (1787) furent
plus insolents. « Que m'importe ce fatras de règles !...
Pensez-vous que j'aie besoin de tout cela pour me diriger
dans mes transports poétiques ? ». « Il flotte enfin dans
les airs, le drapeau de la guerre littéraire... Richardson
me touche bien autrement que toutes les tragédies du
divin Racine... Voilà sans doute bien des blasphèmes ».
Mais Racine « a tué l'art ».

Pour ressusciter l'art, on renonce à « respecter le
spectateur », au scrupule de « parler à l'âme et non au
corps ». Les comédiens français eux-mêmes font connaître, sans y mettre la moindre ironie, qu'ils tiennent
des eaux spiritueuses à la disposition des dames qui
pâment. Et pour provoquer ces pâmoisons, c'est à
qui prodiguera les échafauds, les chambres tendues de
noir, les cercueils, les têtes de morts et les revenants,
tout le bric à brac du mélodrame qu'illustreront, vingt
ans plus tard, Pixérécourt et le boulevard du crime.

Le style même et la versification roulent sur la
pente qui mène de la règle à la liberté, de la « raison »
aux « droits du génie ». J.-J. Rousseau se moque du

style noble et de ces cruches de Français, qui ne veulent pas se servir du mot *cruche*. Mais à la date où il s'en moque, les puristes, malgré bien des résistances, commencent déjà à lâcher pied. Les auteurs mêmes des « grands poèmes », de ces « poèmes descriptifs » qui prennent la place de l'épopée, revendiquent leur droit de tout dire, même en vers, avec les mots de tout le monde. Ce n'est pas seulement Chénier et Saint-Lambert, qui sont philosophes, ou Roucher, qui est une « âme sensible », c'est Delille qui est abbé, qui est régent de collège, qui est la gloire de l'Université et dont l'audace ouvre la poésie à la salade, au cresson, à la charrue, au fumier, aux bœufs, « à la vache féconde »

> Qui ne dégrade plus ni vos parcs, ni mes vers.

La césure de l'alexandrin suit le sort des mots nobles et des périphrases. La versification de Chénier, qui ravira les romantiques, n'est ni plus ni moins hardie que celle de Roucher, du Fontanes de l'ancien régime, de Delille même. Il emploie plus souvent le rejet ; il emploie moins souvent les coupes qui précèdent ou suivent l'hémistiche, les coupes ternaires, les enjambements. La liberté du vers a été demandée et tentée cinquante ans avant les *Feuilles d'automne* dont la versification n'est pas beaucoup plus audacieuse que celle de Roucher ou Fontanes.

Enfin, et cette bataille est comme le symbole des temps nouveaux de la littérature, c'est le chef centenaire de la raison classique qu'on discute, qu'on réfute et qu'on insulte. Il y a une querelle Boileau qui est vive et où l'on traite Boileau plus durement qu'il n'avait traité Saint-Amant ou Scudéry. Il a des défenseurs assurément qui sont illustres. L'Académie, en 1785, met au concours son éloge ; et Daunou qu'elle couronne ne marchande pas les compliments. Mais les académi-

ciens eux-mêmes et les plus académiques des écrivains
ont des hésitations et le défendent mollement. Voltaire,
Marmontel, La Harpe et d'autres affirment qu'il fut
un grand homme et que ses leçons demeurent. Mais
quand ils ne songent plus à l'insolence de ses adversaires,
quand ils écoutent leur démon caché, ils avouent que
Boileau fut froid et trop sage pour être grand. Il vient
« après les chefs-d'œuvre ». D'autres attestent qu'il fut
stupide et « sonnent le tocsin contre lui ». « Nul élan,
nulle verve, nulle chaleur ». « Il faut recommander
à tout jeune homme qui se sentira quelque génie pour
la composition de jeter préalablement au feu toutes
les poétiques, à commencer par celle de Boileau ».
C'est l'opinion de Mercier ou de Cubières, mais aussi
celle de bien d'autres. Même à Neuchâtel en Suisse
« il n'y a pas jusqu'au plus petit myrmidon de notre
littérature qui ne se croie très supérieur à Boileau ».
Le beau raisonnable et la poétique de la raison sont
tout près de s'écrouler.

LES SCIENCES EXPÉRIMENTALES

―――――

NOTICE HISTORIQUE : Buffon (1707-1788) est né au château de Montbard, en Bourgogne. Après une jeunesse assez aventureuse il se prit d'intérêt pour l'étude de la physique et de l'histoire naturelle. Il devint en 1739 intendant du Jardin du roi (Jardin des plantes). Les trois premiers volumes de son *Histoire naturelle* parurent en 1749 (Théorie de la terre et vues générales sur la génération et sur l'homme). Puis il publie successivement *Les Quadrupèdes* (1753-1767) ; *Les Oiseaux* (1770-1783) ; *Les Minéraux* (1783-1788). Des *Suppléments* parurent de 1774 à 1779 (dont *Les Époques de la nature*, 1778). Buffon eut plusieurs collaborateurs : Daubenton pour les descriptions anatomiques, Guéneau de Montbéliard et l'abbé Bexon pour les oiseaux, Guyton de Morveau et Faujas de Saint-Fond pour les minéraux.

Parmi les principaux savants ou vulgarisateurs du XVIIIᵉ siècle, il faut surtout citer Réaumur (*Mémoires pour servir à l'histoire des Insectes*, 1734-1742, 6 vol.) et l'abbé Nollet (*Leçons de physique expérimentale*, 1743, 8ᵉ édition en 1775 ; *L'art des expériences ou avis aux amateurs de la physique sur le choix, la construction et l'usage des instruments*, etc..., 1770).

Les adversaires de la science expérimentale. — On avait parlé d'histoire naturelle et de physique bien avant le XVIIIᵉ siècle. Sans remonter jusqu'à Pline, les *bestiaires* abondent dans la littérature du moyen âge ; ils compilent inlassablement les prodiges et les merveilles, les histoires de sirènes, d'hydres à sept

têtes et de dragons parlants. On aurait tort de croire
que les crédulités des auteurs et des lecteurs du XVIIIe
siècle étaient beaucoup moins naïves. On croit à des
chiens parlants, au basilic dont le regard tue comme
un coup de pistolet, à la fontaine de Bohême qui suspend
son cours quand une femme impure a touché ses eaux,
à cent autres témoignages des pièges du diable ou des
bontés de la Providence. Surtout on est convaincu que
la Providence a disposé toute la nature pour qu'elle
soit l'histoire de sa puissance et de sa bonté. On ne
croit plus guère, dans la deuxième moitié du siècle,
au regard du basilic et à la pudeur des fontaines. Mais
l'histoire naturelle reste obstinément un chapitre de
théologie. Un bon nombre des géologues qui précèdent
Buffon, ceux dont il discute l'histoire de la terre sont,
par métier, des théologiens. Un des plus grands livres
de la première moitié du XVIIIe siècle, dont Chateaubriand tirera encore profit, c'est *L'Existence de Dieu
démontrée par les merveilles de la nature*, de Nieuwentyt
(1725). Un autre ouvrage célèbre, c'est *Le Spectacle
de la nature*, de Pluche, sortes de leçons de choses
dont la leçon suprême est d'enseigner la sagesse de Dieu
qui diversifia le vert des plantes pour reposer nos
yeux et organisa les marées pour que les vaisseaux
puissent pénétrer dans les ports. En s'attendrissant
sur les bontés de la Providence qui donna au melon
des côtes pour qu'il fût plus commode de le manger
en famille, Bernardin de Saint-Pierre n'a fait, à la fin
du siècle, que continuer la plus banale des traditions.
On pourrait énumérer par douzaines les physiciens
et les naturalistes qui se servent des animaux, des
plantes, des cailloux, des étoiles pour expliquer et
justifier *La Genèse*, la Bible et les mystères, expliquer
le déluge et l'arche de Noé, et réfuter au besoin Galilée,
Copernic et Newton.

Cent ou cent cinquante ans plus tôt, on avait une méthode plus sûre pour réfuter Galilée, qui était de lui ordonner de se taire. Les insolences de Galilée pouvaient se renouveler et des physiciens impies donner de l'histoire du monde et des mystères des choses des explications qui ne fussent pas d'accord avec *La Genèse* et les théologiens. C'est ce qui arriva à un nommé de Maillet dans son *Telliamed* (1748). Mais de Maillet mêlait à des idées ingénieuses tant de rêveries qu'il ne risquait pas de faire autorité. On se contenta de condamner, sans fracas, un livre assez obscur. Avec M. de Buffon les choses étaient moins simples. Dans son *Histoire de la terre*, dit d'Argenson, « véritablement il contredit la Genèse en tout ». S'il ne la contredit pas explicitement, il est fort difficile de voir comment ses explications peuvent s'accorder avec les textes sacrés. Or, M. de Buffon fut tout de suite célèbre. L'*Histoire naturelle* fut vantée comme une œuvre immortelle. La science, au lieu d'être la servante d'une théologie majestueuse, entrait bruyamment en contradiction avec elle ou du moins se déclarait indépendante. Les théologiens s'inquiétèrent. « Les dévots, dit d'Argenson, sont furieux ». Et, passant des opinions aux actes, la Sorbonne condamnait quatorze propositions extraites de l'*Histoire naturelle* (1751). C'était autre chose qu'une condamnation platonique. La conséquence pouvait en être, à bref délai, la condamnation du livre, sa destruction ou même l'arrestation de Buffon. Buffon détestait les « tracasseries théologiques ». Il proposa aux docteurs sorbonniques des formules de soumission où il abandonnait « tout ce qui pourrait être contraire à la narration de Moïse ». Les formules furent acceptées, publiées en tête du quatrième volume et les trois premiers continuèrent à se vendre librement.

Mais la querelle ne tournait pas à l'avantage de Moïse

et des théologiens. L'*Histoire de la terre* continuait à
exposer ses « faits » et ses « observations », sans s'inquiéter de savoir s'ils étaient confirmés par *La Genèse*.
L'opinion commençait à croire qu'il ne suffisait pas,
pour réfuter des observations et des faits, des décisions
d'un conseil de théologiens. Il fallut donc chercher
autre chose.

La méthode la plus orthodoxe, et la moins sûre,
fut de démontrer que Moïse avait prévu tous les géologues et que la science ne faisait que confirmer la
révélation. « Toutes les découvertes les plus sûres, les
plus avérées, dit le naturaliste Bourguet, contribuent
admirablement bien à confirmer les vérités de fait
sur lesquelles la religion est fondée ». Ce qui revenait
d'ailleurs à déclarer la science inutile ou à n'en faire,
comme par le passé, qu'une servante de la théologie.
Mais la curiosité, les vocations scientifiques étaient
désormais trop fortes. On chercha d'autres expédients.
Le premier était de laisser à l'esprit humain toute
liberté dans la recherche scientifique ; le scrupule
religieux, la théologie n'interviennent qu'*après*. Ainsi
la curiosité scientifique reste libre provisoirement ;
la religion n'est qu'un contrôle. « Je me suis proposé,
dit le genevois Deluc, d'envisager d'abord uniquement
comme naturaliste les phénomènes qu'offre la surface
de notre globe, en mettant totalement à l'écart le rapport qu'ils peuvent avoir avec la religion par la question
du déluge universel… Je n'ai jamais fait usage que des
moyens dont peuvent se servir les hommes qui vont
seuls à la recherche ; savoir, des principes, des faits,
des conséquences ; et je n'y ai jamais mêlé l'*Autorité*.
Maintenant, j'ai tout dit sur ce sujet… examinons
quel rapport ont entre elles la Nature et la Révélation ».
Il n'y avait qu'une difficulté, c'est que la Nature pouvait
n'être pas du tout d'accord avec la Révélation ; et

les désaccords surgissaient au premier examen. Il n'y
avait pas un naturaliste qui pût croire que le monde
avait été formé, par exemple, en six jours. On se tira
d'affaire par la méthode de l'*interprétation*. La sagesse
divine s'était exprimée, nécessairement, en langage
humain, en mots dont le sens ne peut pas être rigoureu-
sement fixé. Les savants pouvaient donc rechercher,
sous le terme vague, un sens précis qui fût d'accord
avec leurs découvertes. En outre, cette sagesse s'était
exprimée brièvement. Elle n'avait révélé que les grandes
lignes ; elle avait abandonné à la curiosité humaine
le soin de fixer les détails. Cette méthode de l'interprétation fit une rapide fortune. Elle est celle de Buffon
qui, dans les explications préliminaires à ses *Époques de
la nature*, démontre que les *jours* de la Genèse ne peuvent
pas avoir d'autre sens que celui de périodes ou d'époques.
Elle était déjà celle de Pluche ; elle est celle, à l'occasion,
du très pieux Needham ; celle du non moins pieux
Bonnet ; et celle à laquelle affectent de se ranger
l'*Encyclopédie*, Boulanger, d'Holbach. « Si vos raisons
tirées de la nature des choses mêmes sont fortes et
urgentes, vous pouvez vous écarter de la lettre dans
l'explication de l'histoire de la création par Moïse, et
vous le pouvez même sans vous exposer à la censure ».
« On ne peut douter de la réalité du déluge..., mais il
paraît que, sans s'écarter du respect dû au témoignage
des Saintes Écritures, il est permis à un naturaliste
d'examiner si le déluge a été réellement cause des phénomènes dont nous parlons ».

La méthode, commode, était évidemment fort dangereuse. Elle n'inquiétait pas des protestants comme
Deluc ou Bonnet, familiers avec le libre examen ; elle
était plus menaçante pour l'orthodoxie catholique
attachée au principe d'autorité. La Sorbonne délibéra
pour savoir si elle ne condamnerait pas les *Époques*

de Buffon, malgré ses explications ; elle ne fut arrêtée
que par crainte d'être moquée. Et l'interprétation la
plus large pouvait ne pas réussir à mettre d'accord
Moïse et les faits. On en vint donc à une autre conviction, la plus sûre, celle qui devait faire la plus longue
et sans doute une éternelle fortune. C'est qu'il y a des
vérités de plusieurs ordres, qui n'ont ni à se compléter
ni à se contrôler, qui se développent sur des plans parallèles, à jamais séparés : les vérités de la foi ou du cœur,
les vérités de la raison ou de la science, — les vérités
pour la conduite de la vie, « pragmatiques », et celles
de l'intelligence constructive, de l'explication du monde.
Nous pouvons donc être chrétiens d'une part et savants
de l'autre, croire à la fois nos livres saints et nos dogmes,
nos observations et nos expériences, même s'ils se
contredisent. Ce fut la conviction, ou l'affirmation de
presque tout le monde à partir de 1750, de Needham, de
l'abbé Nollet, de Réaumur, de Diderot et quelques
autres. Les savants « prennent ordinairement deux
qualités, celle de catholique et celle de physicien. En
qualité de catholique, disent-ils, nous respectons
l'autorité des livres saints, et nous nous soumettons
sans examen à tout ce que la foi nous propose ; mais
comme physiciens, nous croyons pouvoir hasarder nos
conjectures ; et toutes contraires qu'elles sont au texte
sacré elles ne laissent pas de nous paraître vraisem-
blables ».

Solution commode et qui avait un autre mérite :
elle pouvait être et elle était sincère. Non pas chez
Diderot, mais chez de grands savants, chez Nollet,
Needham, Réaumur et même, sans doute, chez Buffon.
Elle était décisive et elle était apaisante. Ainsi contre
la théologie, ou plutôt contre les despotismes de l'antique
théologie, la science avait livré sa dernière bataille.
Elle s'était libérée.

L'organisation de la science expérimentale. — Mais elle n'avait eu la victoire que parce qu'elle l'avait méritée. Avant de vaincre les autres, elle s'était vaincue elle-même, c'est-à-dire qu'elle avait renié les idoles anciennes et s'était imposé une discipline sévère.

Elle prétendait être un effort pour comprendre et expliquer le monde. Or, elle n'était pas la première à tenter cette explication. La scolastique la donnait tous les jours, avec assurance. Mais justement, on ne voulait plus de l'assurance. Avec quelques raisonnements, prétendus logiques, sans jamais rien observer, la scolastique rendait compte de tout le visible et l'invisible. Elle n'avait fait qu'assembler des mots où les esprits du XVIIIe siècle ne voyaient plus qu'un bourdonnement de syllabes : « Savoir si la matière féconde ou l'élément sensible est dans un acte mixte. Si l'unité spécifique d'une science part de l'unité du motif par lequel nous consentons à ses conclusions », parurent non plus des problèmes scientifiques, mais des balivernes. La scolastique fut attaquée dès la fin du XVIIe siècle. Les attaques se multiplièrent à travers tout le XVIIIe. Elles réunissent non seulement tous les philosophes, mais des gens fort pieux comme l'abbé Pluche, Trembley, l'abbé Fromageot, le président Rolland et vingt autres pédagogues : « Échafaudage puéril..., chaos monstrueux..., ressource de l'erreur et de la mauvaise foi ». Dans la seconde moitié du XVIIIe siècle la scolastique sombre sous le ridicule. Elle disparaît à peu près complètement non pas de la philosophie, mais de l'enseignement scientifique des collèges.

Mais il y avait à vaincre une autre scolastique ; c'était celle des systèmes, la hâte invincible de l'esprit humain qui ne se résigne pas à ignorer et bâtit le monde et la vérité universelle. Longtemps ces systèmes avaient été toute la science. « Deux choses sont nécessaires, écrit

en 1719 le régent Denyse, dans l'étude de la physique :
l'expérience et le raisonnement ; nous allons commencer
par le raisonnement ». C'est la méthode suivie par un
grand nombre de physiciens qui s'épargnent même la
peine de continuer par l'expérience. Et l'on publie
abondamment des *Mémoires sur le principe physique
de la régénération des êtres, du mouvement, de la gravité
et de l'attraction* ; *Discours philosophique sur les trois
principes, animal, végétal, minéral* ; *Dissertations sur
le mécanisme électrique universel de la nature relative-
ment à la physique, à la métaphysique, à la politique et
à la morale*, etc... Mais ces systèmes, ridicules, et
tous les systèmes sont assez vite discrédités. « J'ai
ouï dire, écrit Condillac, qu'un de ces physiciens se
félicitant d'avoir un principe qui rendait raison de
tous les phénomènes de la chimie osa communiquer
ses idées à un habile chimiste. Celui-ci ayant eu la
complaisance de l'écouter lui dit qu'il ne lui ferait qu'une
difficulté, c'est que les faits étaient tout autres qu'il ne
le supposait. « Hé bien, reprit le physicien, apprenez-
les moi, afin que je les explique ». Ces physiciens-là
sont raillés bien avant Condillac. Les philosophes et
ceux qui ne le sont pas s'unissent pour bafouer les
systèmes universels qui mettent à la place des faits
et des expériences les chimères de leurs raisonnements.
« Ne faisons point de systèmes ». « On s'est trop pressé
de bâtir des systèmes ». « Les personnes sensées mépri-
sent ce qu'on appelle physique systématique ». Le
goût de généraliser est une « manie », et ceux qui en
souffrent des « systémateurs ». C'est l'opinion unanime
de cent philosophes, physiciens, naturalistes, journalistes, régents de collèges, obscurs ou illustres, de Fontenelle, du *Journal des Savants*, du *Journal de Trévoux*,
de Diderot, du P. Berthier, de l'abbé Feller, du P.
Bougeant, de Mairan, de Nollet, Deluc, Bertrand,

Condorcet, etc... Et le *Traité des systèmes* de Condillac
est un traité contre les systèmes.

Il y eut même dans cette querelle un épisode retentissant. Nous tenons volontiers Buffon pour un savant
scrupuleux. Or les savants du XVIIIe siècle l'ont condamné, très souvent, comme un aventurier de la science,
un « systémateur » dont l'exemple était dangereux.
Son *Histoire naturelle* commençait par des explications
générales, par des systèmes universels : une *Histoire de
la terre* qui prétendait tout expliquer dans la formation
de la terre, des théories sur la génération et les mécanis-
mes animaux qui voulaient nous faire comprendre tous
les mystères de la vie. Par surcroît, Buffon s'attaquait
aux naturalistes qui, comme Linné, se bornaient à
décrire et à classer, aux *nomenclateurs*. Il proclamait
son amour des « grandes vues » et des « vues de
l'esprit ». Les savants contemporains lui répondirent
presque unanimement, et sans politesse, qu'il n'y
avait qu'un inconvénient, c'est que ces grandes vues
étaient des romans et des sottises. « Je ne m'écarterai
guère des sentiments de ce public, écrit en 1772 l'abbé
Nonnotte, en disant que M. de Buffon n'a prétendu
donner qu'un roman dans son histoire de la théorie de
la terre ». C'est bien en effet le sentiment de vingt
critiques notoires et de plusieurs autres qui sont obscurs,
de Grimm, de Diderot, de d'Alembert, du chimiste
Rouelle, de Bonnet, etc... Réaumur conseilla l'abbé de
Lignac pour publier, en 1751 et 1756, des *Lettres à un
Américain* qui sont une critique violente de Buffon,
et le *Traité des animaux* de Condillac est un traité
contre les théories animales de Buffon.

En opposition avec ces « systèmes généraux » on
fixa de très bonne heure les principes et les méthodes
de la science expérimentale. On connaît Bacon en France
dès la fin du XVIIe siècle, plus précisément dans la

première moitié du XVIII°. Mais ce n'est guère que vers
1750 que sa philosophie de la science expérimentale
est vulgarisée. On n'avait pas attendu cette date pour
préciser le rôle des faits, des expériences et des hypothèses dans la science vraie. Buffon dans une *Introduction* à une traduction de *La Statique des végétaux* de
l'Anglais Hales (1735), Deslandes adaptant un discours
de Musschenbrœk dans son traité *Sur la meilleure
manière de faire les expériences* (1736) avaient proposé
des règles presque aussi rigoureuses que les règles classiques de Stuart Mill. « Je puis même dire, qu'en fait
de physique l'on doit rechercher autant les expériences
que l'on doit craindre les systèmes... C'est par des
expériences fines, raisonnées et suivies que l'on force
la nature à découvrir son secret ; toutes les autres
méthodes n'ont jamais réussi ». Et Deslandes, comme
Buffon, déterminent, très exactement, ce que sont des
expériences fines, raisonnées et suivies. Vers 1750,
on peut dire que ces idées baconiennes et newtoniennes
sont devenues une banalité. On traduit, en 1749,
une *Grammaire des sciences philosophiques ou analyse
abrégée de la philosophie moderne appuyée sur les expériences*, de l'Anglais Martin, qui est comme une sorte
de manuel scolaire, par demandes et réponses, et un
manuel presque moderne de la méthode expérimentale.

Avec la théorie on donne d'ailleurs des exemples
retentissants. Buffon, s'il se risque à des « discours » et
à des « grandes vues », tente du moins de les justifier
par des faits précis, des observations minutieuses, des
expériences patientes, par exemple sur le refroidisse-
ment des masses de fer. Il est, et l'on sait, au XVIII°
siècle, qu'il est un grand laborieux. Deux livres d'histoire naturelle sont d'ailleurs presque aussi célèbres
que son *Histoire naturelle*. Ce sont les *Mémoires pour
servir à l'histoire des insectes*, de Réaumur (1734-1742),

et les *Mémoires pour servir à l'histoire d'un genre de
polypes d'eau douce, à bras en forme de cornes*, de Trembley (1744). Tous les deux sont des recueils d'observations et d'expériences attentives et rigoureuses. Pour
la physique expérimentale, Dagoumer faisait déjà en
1701 des expériences publiques très suivies. Mais
l'abbé Nollet en fut surtout le vulgarisateur bientôt
célèbre. Il commence, en 1734, un cours d'où il bannit
« tout jargon et toute spéculation », où ses arguments
sont des leviers, lentilles, fourneaux, machines pneuma-
tiques. Il est écouté par des personnes « de tout âge,
de tout sexe, de toute condition ». Il est chargé de donner
des leçons au duc de Chartres et au dauphin. Enfin,
en 1753, on crée pour lui à l'Université de Paris une
chaire de physique expérimentale qui fut, dit un contemporain, « une école de goût pour la philosophie ».

Il n'y eut guère qu'une tentation à laquelle cette
philosophie expérimentale résista mal : ce fut de croire
qu'en découvrant les lois de la nature, elle mettait
en lumière les bontés infinies de la Providence. Il y a
eu peu de mécanistes pour affirmer, comme Diderot,
que l'enchaînement des causes et des effets sert ou
dessert les intérêts humains, au hasard. Si Bernardin
de Saint-Pierre put étaler les prodigieuses candeurs
de son optimisme, c'est parce qu'il avait la complicité
de presque tous ses contemporains. *Tout est créé pour
l'homme*, c'est l'esprit ou même le titre de cent ouvrages
ou chapitres. Les baleines sont dangereuses pour les
vaisseaux, mais le requin est l'ennemi de la baleine,
« par conséquent les animaux sont tous formés pour
l'homme, quoique nous n'en connaissions pas toujours
la propriété et l'usage ». Ceux mêmes qui, comme Diderot, Condillac, Bertrand, sont des matérialistes ou de
vrais savants ne résistent pas au plaisir de croire que,
si la nature livrée à elle-même est indifférente au

bonheur de l'homme, la physique et l'histoire naturelle sont faites uniquement pour l'obliger à nous
servir. Ils accepteraient volontiers l'affirmation de
Leclerc (1763) que le savant « n'étudiera la nature que
pour l'employer ». La philosophie expérimentale n'a
pas voulu se séparer de la philosophie « économique »,
« humanitaire » ou sociale.

La diffusion et l'influence de la science. — Les sciences
expérimentales auraient pu se défendre et s'organiser
sans intéresser le grand public, dans un cercle de savants,
de théologiens et de quelques philosophes. Mais elles
ont au XVIIIᵉ siècle suscité autant de curiosités que les
philosophes ; et elles ont eu sans doute plus de fidèles.

Les philosophes les ont cultivées assidûment, au
moins autant qu'ils ont étudié Descartes, Spinoza ou
Locke. Voltaire s'en tient plutôt aux mathématiques.
C'est lui pourtant qui contribue, plus que tout autre, à
faire connaître Newton aux Français, et qui met en
lumière le mérite essentiel de Newton : ne rien avancer
qui ne soit immédiatement, constamment et exactement vérifié par des faits. Les premiers travaux de
Montesquieu sont des mémoires de physique et de
physiologie pour l'Académie de Bordeaux. Diderot a
toujours eu, pour toutes les sciences de la nature, la
curiosité la plus vive et la plus pénétrante. Il suit des
cours d'anatomie, de physiologie, les cours du chimiste
Rouelle pendant trois ans. Il est un de ceux qui ont
fait la vogue des modèles anatomiques en cire de Mlle
Biheron ; il nous a laissé d'importants *Éléments de
physiologie. J.-J.* Rousseau, lorsqu'il décide de s'instruire lui-même, aux Charmettes, apprend, avec les
mathématiques, de l'astronomie, de la médecine. Il a
rédigé, comme résumé de ses lectures, de très longues
Institutions chimiques. D'Holbach est un chimiste

réputé qui traduit une demi-douzaine d'**ouvrages** de
chimie, métallurgie, etc... Nous avons parlé du Traité
du philosophe Deslandes sur les expériences. Les œuvres
de Condillac, de Turgot, de Condorcet prouvent constamment qu'ils étaient familiers avec les travaux
les plus importants de la physique, de la chimie, de
l'histoire naturelle contemporaines.

Les grands savants ou même de modestes savants
du temps ont été très vite célèbres dans tous les publics.
Partout ou presque, on lit *Le Spectacle de la nature*
de Pluche, l'*Histoire des Insectes* de Réaumur, les
ouvrages de physique de l'abbé Nollet. Buffon surtout
rayonne d'une gloire prodigieuse. Pour tous ceux qui
ne sont pas des savants, il est « le Pline et l'Aristote
de la France ». Il y a dix poètes pour chanter ses gran-
deurs sur la lyre. Le roi érige ses terres en comté.
On dresse à Voltaire sa statue, de son vivant ; mais on
en fait autant pour Buffon, et c'est à qui, parmi les
poètes notoires, proposera une inscription digne de
son génie. Ferney, Clarens, la rue Plâtrière où vit
Rousseau sont des lieux de pèlerinage. Mais Montbard
l'est aussi. Quand Buffon meurt, Montbard recueille
ses cendres comme celles d'un héros. Pendant un an,
une chapelle mortuaire resta dressée, tous cierges
allumés, sur la colline qui fait face au château. On
n'approchait de son cabinet, dit un contemporain,
« que comme d'un temple, dont son vieux valet était
le gardien et son fils le pontife ».

L'engouement pour les sciences **expérimentales** est
universel. Cent témoignages s'accordent. « Les ouvrages
de physique sont aujourd'hui si bien accueillis du public
qu'on est toujours sûr de lui plaire lorsqu'on lui en
présente quelqu'un dont la matière est choisie avec
discernement. Aujourd'hui l'étude de l'histoire naturelle
est celle qu'on cultive le plus ». Des héros de roman se

jettent « à corps perdu » dans la « fureur de l'histoire
naturelle ». « La légère superficie savante des sociétés
de ce temps s'est retirée du côté de l'érudition pour
s'étendre du côté des sciences ». Pour cette légère
superficie, comme pour les gens sérieux, il y a le plaisir
de visiter des cabinets. Le Cabinet du roi ou Jardin
du roi ou Jardin des plantes est devenu célèbre, grâce
à Buffon. Mais il y en a bien d'autres. Et Dezallier
d'Argenville en signale, en 1780, soixante-douze qui
sont tout nouveaux. Le prince de Condé est très fier
de celui que dirige Valmont de Bomare. Il y a d'ailleurs
des cours publics très suivis. Valmont de Bomare ouvre
le sien en 1757 ; il doit, à cause de l'affluence, le dédou-
bler en 1769. Sigaud de la Fond, Brisson, Maubert de
Gouvest font à Paris des cours de physique expérimentale. Il y en a même en province. Les dames brûlent
de s'instruire dans la science des Nollet, des Réaumur
et des Buffon. On parle pour elles, on écrit pour elles.
Au château de Brienne, par exemple, en 1779, Depar-
cieux vient de Paris, tous les ans, passer six semaines
ou deux mois « et faire des cours aux dames ». Il y a
des centaines de traités, mémoires, dictionnaires de
physique et d'histoire naturelle ; mais il y en a des
dizaines qui sont des Abrégés, Manuels, Leçons, Cours
« à l'usage des gens du monde », « à la portée de tout
le monde », ou même « des jeunes demoiselles ».

Car l'étude des sciences expérimentales pénètre dans
l'enseignement. Assez timidement dans la pratique
officielle. Depuis longtemps, sur les deux années de
philosophie, l'une ou quelques mois de l'une d'elles
étaient consacrés à la « physique générale et particulière ». Mais elle n'était qu'une branche de la philosophie scolastique ; le professeur de philosophie et
celui de physique étaient d'ailleurs le même homme.
Après l'expulsion des Jésuites, en 1762, la règle devient à

peu près partout qu'il y a un professeur de philosophie
et un professeur de physique. Sans doute les deux années de philosophie ne font pas partie du cycle régulier
des études ; elles ne sont suivies que par une moitié, souvent un quart des élèves. Mais pour l'enseignement
de cette physique, on restreint de plus en plus la
« physique générale » qui n'est qu'une métaphysique
de la matière au profit de la « physique particulière »
ou expérimentale. Dans un grand nombre de collèges,
on étudie les traités que Nollet a rédigés pour l'enseignement, on achète des « machines » dont nous avons
souvent l'inventaire. Assez souvent il est vrai les crédits
sont faibles ou dérisoires et le « cabinet » rudimentaire.
Mais les théoriciens de la pédagogie et les maîtres de
pension furent plus audacieux. Plus de contes de nour-
rices, dit l'un, plus de fables de La Fontaine ; de deux à
quatre ans Buffon, à quatre ans la physique. Dès huit
ans, dit un autre, la physique expérimentale. Tel *Traité
de l'éducation des femmes* consacre ses tomes III et IV
à la physique expérimentale. Et l'abbé Fromageot
expose à Mme de Sainte-Valérie, première maîtresse
des pensionnaires de l'abbaye de Port-Royal, les raisons
qui lui font donner place dans son programme à la
science expérimentale : « Je fis entrer l'histoire naturelle
et la physique comme parties essentielles de l'éducation ;
je les regardai comme deux sources intarissables d'agréments, et comme l'antidote le plus assuré contre l'ennui
et l'oisiveté ».

Les savants, les philosophes, les journalistes même
ou les pédagogues ont donné pour justifier l'étude de
la physique expérimentale et de l'histoire naturelle
des raisons plus sérieuses que celles de Fromageot.
Ils n'ont pas voulu y voir seulement un remède contre
l'ennui, mais une discipline de l'esprit, une force morale.
« L'étude de la physique, dit le philosophe Deslandes,

est une des plus nobles et des plus vertueuses occupations de l'esprit humain... celui qui, sensible à la dignité
de son être et possédant son âme en tranquillité, aime à
considérer les ouvrages de la nature et à les analyser
curieusement, passe ses jours de la manière la plus
agréable, parce que tout lui présente des plaisirs purs,
nets et exempts de ces reproches amers que la volupté
traîne toujours à sa suite ». Deslandes était philosophe,
mais Bertrand était pasteur et parle comme lui : « Je
ne crains point de dire que la morale et l'histoire naturelle sont, avec l'étude de la révélation, les objets les
plus importants des connaissances humaines ». Et c'est
le frivole et prudent *Mercure* qui, en 1781, entonne
cet hymne : « Un vrai naturaliste est un homme qui,
tourmenté par l'amour de la vérité et ne concevant
point d'autre bonheur que celui de la connaître, la
cherche à travers les travaux de toute espèce ; qui,
brûlant d'interroger la nature, franchit courageusement
tous les obstacles qui peuvent la lui cacher : ni la rapidité
des torrents, ni la largeur des rivières, ni l'aspect
sourcilleux des rochers les plus inaccessibles, ni le choc
des éléments déchaînés ne sauraient l'arrêter ».

L'étude des sciences expérimentales devient presque
une religion nouvelle, avec ses renoncements et ses
extases. La connaissance de la nature, dit Buchoz, qui
n'était pas un philosophe, « est pour ainsi dire l'avant-
coureur de la volupté céleste ; dès qu'on en jouit une
fois, on marche dans la lumière et on mène une vie
aussi délicieuse que si on se trouvait dans un paradis
terrestre ». Pour ce dieu et ses fidèles, on rêve d'élever
des Temples. Temples qui seront le plus souvent tout
littéraires et faits de vers. Voltaire et Bonnet demandent aux gens de lettres de « s'exercer sur un si digne
sujet ». Chénier commence *L'Hermès* et Lebrun-Pindare
un poème de *La Nature*. Diderot et l'abbé Saury récla-

ment des architectures plus tangibles : « Il serait digne
d'un grand prince d'élever à la nature un palais, dans
lequel on renfermerait tous les objets dignes de l'attention des naturalistes... Quel spectacle que celui de tout
ce que la main du Tout-Puissant a répandu à la surface
de la terre exposé dans un seul endroit ». M. Viel entre-
prit de réaliser ce spectacle et publia le projet, plan
et élévation d'un vaste monument consacré à la gloire
et à l'enseignement de l'histoire naturelle.

On y portera un esprit transformé par les sciences
expérimentales, délivré du passé, préparé pour l'avenir.
« Nature, rime Fabre d'Églantine,

> Nature ! oui, je le sens, c'est cette heureuse étude
> Qui seule nourrit l'âme, affranchit la raison,
> Des fers, des préjugés, et de l'opinion ».

On pourrait croire que ce sont les fers et les préjugés
dont seuls les philosophes se sont plaints. Mais bien
d'autres qui n'étaient pas philosophes ont tenu le même
langage et l'on peut juxtaposer les convictions et les
espérances de Condorcet qui est encyclopédiste, de Roucher qui est « âme sensible » et poète, de Nollet et de
Leclerc qui sont abbé et chanoine. « Le plus important
peut-être [des bienfaits de la science] est d'avoir détruit
les préjugés et redressé en quelque sorte l'intelligence
humaine... le sage attendra patiemment que l'observation lui apporte le levier fatal qui doit renverser de
fond en comble l'édifice de l'erreur et ensevelir sous
ses ruines son architecte infortuné. Disons-nous qu'alors
les folles erreurs qui abâtardissent l'espèce humaine
et la livrent pieds et mains liés à la superstition, disons-
nous que ces erreurs s'enfuiront pour ne reparaître
jamais ». Et c'est enfin tout un programme de « philosophie positive » que tracent les éloges de Buffon écrits
par son secrétaire Humbert-Bazile et par Condorcet :

« Placé dans un siècle où l'esprit humain s'agitant dans
ses chaînes les a relâchées toutes et en a brisé quelques-
unes... M. de Buffon parut n'avoir aucune part à ce
mouvement. Mais peut-être a-t-il cru que le meilleur
moyen de détruire les erreurs en métaphysique et en
morale était de multiplier les vérités d'observation
dans les sciences naturelles ; qu'au lieu de combattre
l'homme ignorant et opiniâtre il fallait lui inspirer
le désir de s'instruire ».

Chapitre III

L'ESPRIT POSITIF, LES FAITS ET LES LEÇONS DES FAITS

NOTICE HISTORIQUE : Diderot naquit à Langres, en 1713, d'un père coutelier et d'ailleurs riche. Il fit d'excellentes études, puis vécut de leçons, d'expédients et de misère pour étudier à sa guise. Il publia une traduction de l'*Essai sur le mérite et la vertu* de Shaftesbury, assez anodine, puis des *Pensées philosophiques* (1746) qui le sont beaucoup moins. Dénoncé comme athée par son curé et son commissaire de police, il est emprisonné pendant trois mois au château de Vincennes à la suite de la publication de la *Lettre sur les aveugles à l'usage de ceux qui voient* (1749). Puis il donne, anonymement et sans qu'on l'inquiète, les *Pensées sur l'interprétation de la nature* (1754) ; *De la suffisance de la religion naturelle* (1770) ; l'*Entretien d'un philosophe avec Mme la duchesse de ****** (1776) ; l'*Essai sur la vie de Sénèque le philosophe*. Des opuscules inédits ont été publiés après sa mort (dont *Le Rêve de d'Alembert*). Il s'est occupé de critique littéraire en écrivant l'*Éloge de Richardson* (1761), des *Réflexions sur Térence* (1762) et des théories poétiques et dramatiques (*Entretiens sur le Fils naturel*, *Discours sur la poésie dramatique*, *Paradoxe sur le comédien*). Il a essayé de les appliquer au théâtre en composant des drames médiocres (*Le Fils naturel*, 1757 ; *Le Père de famille*, 1758) dont le dernier eut un assez vif succès. Ses romans n'ont été publiés qu'après sa mort : *La Religieuse* et *Jacques le Fataliste* en 1796, *Le Neveu de Rameau* en 1823. On n'a connu également qu'après sa mort la critique d'art, le compte-rendu des *Salons* qu'il écrivait pour la *Correspondance littéraire* de Grimm.

La grande tâche de sa vie fut la publication de l'*Encyclo-*

pédie. Des libraires de Paris voulaient publier une traduction
de la *Cyclopædia* de l'anglais Chambers. Diderot, à qui ils
s'adressèrent, eut l'idée d'organiser une œuvre originale qui
fût un vaste Dictionnaire raisonné des connaissances humaines.
Il s'associa avec d'Alembert, obtint la collaboration de Voltaire, J.-J. Rousseau, Montesquieu, Turgot, etc... Le premier
volume parut en 1751 avec un *Discours préliminaire* de d'Alembert. Ce dictionnaire s'acheva en 1766. Il comporte **17 volumes**
in-folio, 5 volumes de suppléments et 11 volumes de planches.

Lire : E. Carcassonne, *Montesquieu et le problème de la consti-*
tution française au XVIIIᵉ *siècle*, 1927.

La philosophie sensualiste. — L'esprit classique s'est
rencontré avec le rationalisme cartésien. Il y a trouvé
une justification et des forces nouvelles. Or, l'expérience
ne joue à peu près aucun rôle dans la philosophie de
Descartes. La seule démonstration qui compte est
l'évidence rationnelle. Pour comprendre l'ascension
du mercure dans le tube de Torricelli et la nature du
vide, il est inutile d'expérimenter, il suffit de raisonner.
Longtemps ce cartésianisme parut une doctrine audacieuse et dangereuse. Mais, dès 1740, elle n'est à peu
près plus qu'un souvenir historique. C'est une philosophie de l'observation, le sensualisme de Locke, qui l'a
remplacée.

Descartes disait : « Fions-nous à la raison ; elle est
infaillible ». Mais pourquoi est-elle infaillible, plus que
le syllogisme des scolastiques ? N'est-il pas nécessaire
de la justifier ? « Je n'accepte pour vrai, continue
Descartes, que ce que je connais pour vrai ». Mais qu'est-
ce que connaître ? Quelle est la nature de ce jugement
de vérité ? Est-ce une opération si simple et si sûre ?
Ce qui est évident pour Descartes ne l'est pas du tout
pour un enfant, pour un sauvage, pour un exalté.
Il est donc nécessaire d'examiner les droits de la raison,
d'étudier le mécanisme de la connaissance, bref de

juger, par une analyse précise, le jugement. C'est ce que Locke s'est proposé de faire en observant la formation et le jeu de l' « entendement humain ».

Les résultats de l'analyse sont considérables. Pour fonder les droits de la raison, Descartes suppose, sans examen et sans preuve, qu'elle est immuable et universelle. C'est une réalité parfaite chez tous et tout de suite, « innée ». Chez l'enfant, chez l'homme inculte, chez le sauvage elle est la même que chez Descartes ; elle est seulement endormie, inutilisée. Or Locke ne croit pas que toutes les idées de la raison soient innées. Celles qui nous semblent les plus nécessaires sont souvent non seulement ignorées, mais contredites. Les enfants, les idiots, les sauvages n'ont aucune idée de Dieu ; pour tels sauvages il est pieux de manger ses ennemis. Examinons donc de plus près nos facultés intellectuelles ; nous verrons que l'enfant n'en a aucune ou du moins qu'il n'a que des aptitudes vagues sans formes précises. Il éprouve des sensations ; il en fait l'expérience ; il en garde la mémoire ; et c'est par la mémoire de ces expériences qu'il acquiert ce qui n'était pas du tout inné : l'attention, la comparaison, le jugement, le raisonnement.

Conclusion : avant de construire le monde par l'esprit, il faut connaître cet esprit. On apprend à le connaître par l'observation, et l'observation nous révèle qu'il s'est formé par l'expérience. En un mot, la philosophie consiste moins à raisonner qu'à observer les faits et les enchaînements des faits. Cette philosophie des faits, *sensualiste* (parce qu'elle s'appuie sur les faits des sensations), a eu au XVIIIe siècle l'influence la plus profonde. Nous avons dit qu'on avait connu l'*Essai sur l'entendement humain* dès la fin du XVIIe siècle. Au XVIIIe, Voltaire à vingt reprises a fait de Locke un éloge enthousiaste. Tous les philosophes l'admirent

comme lui : D'Argens dont *La Philosophie du bon sens*
est la philosophie de Locke, dont l'Index des *Lettres
juives* comporte une page de références à Locke (et une
demi-page à Gassendi) ; Vauvenargues ; Deslandes ;
et ceux mêmes qui ne sont pas « philosophes », comme
le P. Buffier. Après 1750, l'enthousiasme ne s'affaiblit
pas. Diderot fait écho à Voltaire : « sa philosophie
semble être, par rapport à celle de Descartes et de
Malebranche, ce qu'est l'histoire par rapport aux romans ». Rousseau, qui étudie l'*Essai* aux Charmettes,
se souvient constamment de Locke dans son *Émile*.
D'Holbach se réfère au « profond Locke ». Pour Saint-
Lambert, c'est « le plus sage et le plus éclairé de tous
les précepteurs du genre humain ». Helvétius avoue
« l'analogie de ses opinions » avec celles de Locke ;
et de fait il s'est contenté d'en appliquer les méthodes
avec une maladroite rigueur.

Il y eut d'ailleurs « un Locke français » dont l'influence vint préciser celle de Locke. Le *Traité des
sensations* de Condillac (1754) fut tout de suite célèbre.
Il suivait de toute évidence la méthode de Locke.
Il voulait savoir si les « facultés de l'âme », si les formes
de notre intelligence étaient innées ou si elles ne s'étaient
pas lentement formées par l'expérience des sens. Mais
il allait plus loin que Locke et plus méthodiquement.
Locke n'avait pas toujours été un réaliste ; il avait
exposé une métaphysique et une religion qu'il disait
« raisonnables », mais où l'observation et l'expérience
n'avaient rien à voir. Condillac est très sincèrement
spiritualiste et pieux, mais il ne parle jamais de religion ;
ce n'est pas là objet de philosophie. Locke ne croit pas
aux « facultés innées » ; il parle pourtant d'aptitudes
primitives. Pour Condillac rien n'est inné. Il n'y a
rien dans l'esprit, à la naissance, que l'aptitude animale
d'éprouver des sensations, et cette aptitude très géné-

rale (donnée par Dieu et qui nous distingue des animaux)
à en tirer parti, non pas d'ailleurs par le développement
d'une force interne, mais par les sollicitations de l'expérience. Condillac étudiera donc la progression de ces
expériences. A la naissance l'esprit humain est comme
une statue, une simple forme. Rendons la statue vivante;
donnons-lui le sens de l'odorat. Par l'expérience qu'elle
fait des odeurs, des plaisirs et répugnances d'odeur, la
statue acquerra l'attention, la comparaison, le souvenir,
le jugement, la généralisation, etc... L'étude des autres
sens et de la collaboration des sens nous permettra de
bien comprendre comment toutes nos facultés sont
acquises et acquises « par l'extérieur », par l'influence
des réalités situées hors de nous. « C'est, conclut le
philosophe Höffding, l'essai le plus péremptoire qui
ait été fait pour faire tout dériver de l'expérience ».

Ajoutons (on ne l'a pas assez marqué) que Condillac
ne s'est pas contenté de faire appel à l'observation intérieure, à ce qui garde malgré tout un caractère abstrait
parce qu'on « suppose » les états d'âme de la statue ou
de l'enfant. Il n'avait pas cultivé que les mathématiques. Il s'intéressait vivement à l'histoire naturelle.
Il écrivait contre Buffon un *Traité des animaux*, justement parce qu'il reprochait à Buffon d'expliquer
les animaux par des systèmes préconçus plutôt que
par des observations précises. Timidement d'ailleurs,
il s'appuie sur l'expérience de l'aveugle-né de Cheselden,
sur des expériences de localisation de la douleur,
d'illusions des sens, de résonances harmoniques ; il est
sur la voie d'une psychologie expérimentale.

Condillac a été l'ami ou le familier des philosophes
du XVIII⁰ siècle qui l'ont vivement admiré. Voltaire
l'égale à Locke. Rousseau le range « parmi les meilleurs
raisonneurs et les plus profonds métaphysiciens de
son siècle ». Diderot le juge « plus clair que Locke ».

Il est sans cesse cité ou sous-entendu dans les œuvres de l'abbé de Prades, Helvétius, d'Holbach, Robinet, Delisle de Sales, Beaurieu, etc...

Il restait cependant un pas à faire pour que la philosophie fût solidement rattachée à ces sciences expérimentales dont le triomphe, après 1750, emplit tout le XVIIIe siècle. Diderot le franchit. Si l'entendement se forme en nous par des sensations, les sensations sont des choses ou matérielles ou qui sont sous la dépendance étroite de la matière, c'est-à-dire des nerfs, du cerveau. Or, on expérimente en physique et en histoire naturelle sur la matière, et c'est par ces expérimentations qu'on découvre les explications. Pourquoi la philosophie ne tenterait-elle pas la même méthode ? Diderot croit fermement qu'elle est possible et nécessaire. « Tout est expérimental en nous, écrit-il à Mlle Volland ». Et les *Pensées sur l'interprétation de la nature*, la *Lettre sur les aveugles*, celle *sur les sourds et muets*, puis des ouvrages qu'il écrit pour lui précisent la méthode et la poussent jusqu'à ses conséquences extrêmes. Pour comprendre la sensation il faut d'abord comprendre la vie dans ses formes les plus élémentaires : « Il faut commencer par classer les êtres, depuis la molécule inerte, s'il en est, jusqu'à la molécule vivante, à l'animal microscopique, à l'animal plante, à l'animal, à l'homme ». Chez l'animal et chez l'homme les sensations dépendent des organes ; il faudra donc observer la constitution de ces organes, suivre les expériences qui y créent pour nous des maladies telles que la cécité ou la surdité, le sommeil, l'hystérie, les intoxications ; provoquer, au besoin, ces expériences. En un mot la philosophie doit se fonder sur la physiologie, l'histoire naturelle, la médecine. Les meilleurs philosophes seront un aveugle-né capable de comparer son expérience à celle des hommes normaux, ou un médecin, tel que Bordeux l'était ou pouvait l'être.

Et nous pourrons aboutir à une explication non plus rationaliste et abstraite de la vie, mais matérialiste, c'est-à-dire tout entière soutenue par des expériences qui se suffisent à elles-mêmes sans l'intervention d'un principe spirituel insaisissable et, par conséquent, arbitraire : l'être vivant est un agrégat d'êtres élémentaires ; il est perfectionné par l'action même de la vie, « les organes produisent les besoins et réciproquement les besoins produisent les organes » ; ces besoins produisent également et développent les organes dits spirituels, les prétendues facultés de l'âme qui évoluent, varient, s'altèrent exactement comme les organes matériels, c'est-à-dire qui « ne sont rien en dehors d'eux ». La philosophie n'est qu'une branche de la science, de la science expérimentale, de la science de la matière.

Les autres philosophes, matérialistes ou non, n'ont pas eu la même sagacité que Diderot. Ils avaient moins de curiosité de la physiologie ou de la médecine ; et il leur a paru plus expédient de raisonner que d'étudier les réalités. Tous pourtant ont connu le prix de l'expérience et la valeur des méthodes expérimentales. Ils les ont même pratiquées. Ils ont opté, à vingt reprises, pour l'observation et l'expérience contre les « systèmes », pour les savants résignés à « la modestie de l'expérience » contre les « systémateurs ». Dans cette querelle des systèmes, que nous avons résumée, ils ont porté contre les « philosophes abstraits » les coups les plus rudes. Voltaire loue l'expérience plus qu'il ne la pratique ; il est peu capable d'une philosophie suivie. Mais Helvétius affirme que tout système « s'écroule à mesure qu'on l'édifie, s'il ne porte sur la base inébranlable des faits et de l'expérience ». Il veut « faire une morale comme une physique expérimentale ». Il est très certain qu'il a promis plus qu'il n'a tenu. Mais à défaut d'expé-

riences, il a cherché pourtant à s'appuyer sur des faits ;
sur des centaines de faits, dont un bon nombre sont
discutables ou faux, mais qu'il emprunte cependant
aux seuls garants dont il disposait, à Buffon, à ceux
qui ont parlé des Mariannais, des Chiriguanes, de
Pegu, des Caraïbes, des Giagues, de vingt autres peuples,
à l'anthropologie et l'ethnographie de son temps. Il
connaît et il allègue aussi bien des chimistes, des méde-
cins, des naturalistes. S'il raisonne mal, il raisonne
souvent sur des faits, sur ce qu'on tenait pour des
faits. D'Holbach a les mêmes scrupules : « C'est donc à
la physique et à l'expérience que l'homme doit recourir
dans toutes ses recherches ». Assurément, sans bien s'en
douter, il cherche d'autres appuis. Mais il fait appel
cependant à des raisons d'anatomie et de médecine, aux
expériences ou observations de La Peyronie, Bartolin,
Willes sur la léthargie, la trépanation, les proportions
du cerveau, l'alimentation. Il cite, comme Helvétius,
les observations des voyageurs ; il tente la mythologie
comparée. Il veut être scientifique.

S'il n'y réussit pas plus qu'Helvétius, ce fut sa faute
sans doute. Ce fut aussi la faute de leur temps. Les
faits dont ils se servent, c'est qu'il y a des peuples qui
n'ont pas de langage articulé, que la farine en fermen-
tant engendre des vers, que la substance de certains
malades peut se réduire brusquement et totalement
en poux et en puces. Erreurs qui ne peuvent étayer
que des erreurs. Mais il ne dépendait pas d'eux de cons-
tituer la physique, la physiologie et l'ethnographie de
1760 comme celles d'un Claude Bernard, d'un Berthelot
et d'un Darwin. Ils avaient de mauvais instruments.
Ils ont fait avec eux du travail imparfait ou médiocre.
Mais leurs intentions étaient d'accord avec la philosophie expérimentale de celui qui les a critiqués, de
Taine

L'histoire. La littérature. — Même esprit réaliste dans l'étude de l'histoire et parfois dans la littérature proprement dite, théâtre, roman, poésie descriptive. Pendant tout le XVIIe et au commencement du XVIIIe siècle, l'histoire ne se distingue pas de l'éloquence, du panégyrique ou du roman divertissant et moralisant. La limite est à peu près impossible à fixer entre ce que les auteurs appellent « Histoire » et ce qu'ils intitulent « anecdote » ou « nouvelle historique ». Vers la fin du siècle, Mably étudiant « la manière d'écrire l'histoire » se demandera encore s'il est sage de « se jeter dans l'étude de nos diplômes, de nos formules anciennes, de nos capitulaires, et gémir sous ce fatras énorme de pièces, propres à faire reculer d'effroi le savant le plus intrépide et le plus opiniâtre ». Nombre d'historiens ne se sont pas embarrassés de ce fatras et ont continué jusqu'à la fin du siècle à appliquer les règles de la rhétorique plutôt que celles de la recherche et de la critique historiques. Pourtant Voltaire a cru que la vérité de l'histoire ne pouvait se trouver que dans une étude patiente des faits. Pour écrire son *Siècle de Louis XIV*, il ne s'est pas contenté d'avoir des idées neuves, d'écrire l'histoire d'une nation et non d'un prince, de l'intelligence et non de la force ou de la ruse conquérante ; il a voulu s'informer avec exactitude. Il a interrogé les contemporains ; il s'est procuré vingt mémoires ou extraits de mémoires inédits et cent documents authentiques ; il a consulté les archives des secrétariats d'État. Chaque fois qu'il a pu, il est allé aux sources de première main. L'*Essai sur les mœurs et l'esprit des nations* résume une immense et patiente enquête, un prodigieux effort de recherche et d'organisation. Ce n'est plus un « système » ou des « Réflexions », c'est vraiment un exposé ordonné des faits, des connaissances qu'on pouvait avoir, entre 1740 et 1760, sur ce qui s'était réellement passé dans l'Univers. Et si Voltaire est le seul qui possède la puissance d'esprit nécessaire pour organiser et faire vivre, il n'est pas le seul à travers tout le xviiiᵉ à tenter de fonder l'histoire sur des recherches exactes. Avant lui, depuis longtemps, les Bénédictins s'étaient plongés dans le « fatras » des vieux manuscrits. L'Académie des Inscriptions s'était tout de suite désintéressée de la rédaction des inscriptions à la gloire de Louis XIV. Elle était devenue, vers 1700, et de plus en plus, une assemblée d'érudits où l'on étudiait de fort près les monuments, les textes, l'histoire documentaire. Pour décider des origines et de la marche des civilisations, Voltaire et dix érudits (dont l'*Encyclopédie* résume les recherches) étudient l'écriture, les langues, les monuments, les textes. Les voyages et les explorations de toutes sortes multiplient d'ailleurs ces documents ; la découverte des ruines de Pompéi et d'Herculanum substitue à la Rome oratoire et livresque des collèges une Rome vraie et vivante. Et le *Voyage du jeune Anacharsis* de l'abbé Barthélemy (1788), qui fut l'un des livres illustres de la fin du xviiiᵉ siècle, résume, avec les recherches savantes de l'abbé, celles de vingt archéologues ou historiens. C'est vraiment un *Télémaque* où la curiosité historique aurait pris la place des moralités.

L'histoire pénètre partout, l'histoire vraie ou si l'on veut l'esprit historique, le souci de savoir ce que fut exactement le passé. Les *Bucoliques* de Chénier ne sont pas un genre nouveau. Mais de Fontenelle à Gessner, en passant par l'abbé Mangenot, l'idylle se préoccupe d'être « galante » ou d'être « simple », d'être fine ou d'être « naïve », jamais d'être exactement grecque ou latine. Les *Bucoliques* au contraire sont un chef-d'œuvre d'érudition tout autant qu'un chef-d'œuvre de grâce et d'harmonie. On peut dire que Chénier a

lu tous les textes grecs ; et il les a lus commentés par les
érudits de son temps et par des érudits de premier ordre,
par Guys, par Brunck, etc. C'est au XVIIIe siècle que
très souvent la critique littéraire devient de l'histoire
littéraire et que les jugements sur le goût deviennent
l'histoire des goûts. Toute la littérature du moyen âge
sort de l'ombre ; on s'engoue de la « chevalerie », des
« troubadours », de l'architecture et de la littérature
gothiques, de tout ce qui rappelle le « bon vieux temps »
et le « vieux langage ». La *Bibliothèque des romans*,
par exemple (1775-1789), qui est une sorte de publication populaire, donne dans ses deux cents volumes
quarante extraits de romans du moyen âge. On a
pu dresser une Bibliographie de plus de cent ouvrages
où apparaît nettement, très souvent, le souci de faire
l'histoire de la littérature et non plus seulement de la
cataloguer et de la juger. On écrit d'ailleurs l'histoire
de tout. Deslandes, par exemple, donne dès 1756 une
Histoire critique de la philosophie, Savérien une *Histoire
des philosophes modernes* (1760-1773), une *Histoire des
philosophes anciens* (1770), une *Histoire des progrès de
l'esprit humain dans les sciences exactes* (1766-1778),
Montucla une *Histoire des mathématiques* (1758). Et
l'on pourrait citer ainsi, par douzaines, les histoires des
sciences, des découvertes, des législations, des mœurs.
Histoires confuses, mal informées, sans talent, mais qui
sont vraiment des histoires, des tableaux du passé où ce
sont les faits, les textes, les monuments qui s'efforcent
de peindre, et non plus la fantaisie de l'auteur.

Cet esprit réaliste pénètre même la littérature proprement dite. Le goût des réalités sensibles n'est pas,
avant La Bruyère, un goût classique. On a très souvent
remarqué que le théâtre n'a pas de décors, que nous ne
savons pas si Hermione et Andromaque sont brunes
ou blondes et que nous n'apprenons rien du visage

de la princesse de Clèves, sinon qu'elle est blanche et blonde. Cette indifférence persiste très longtemps au XVIIIᵉ siècle. A travers les romans célèbres de Mme de Tencin ou ceux de l'abbé Prévost, on chercherait vainement ce qui évoque devant nous la vie des corps et des visages et non plus la vie des âmes. De la Marianne de Marivaux, de Manon et des autres, nous connaissons un joli minois, un air fripon, un bel œil, un petit pied, un visage charmant, de doux regards, de la grâce, des charmes, tout ce qui donne envie de les connaître et rien de ce qui nous les ferait vraiment voir. Le théâtre, jusque vers 1750, reste aussi conventionnel que celui du XVIIᵉ siècle. La scène est encombrée de bancs ; les Grecs, Romains ou Turcs portent perruques et paniers et les esclaves des girandoles de diamants.

Peu à peu, et non pas d'ailleurs dans toutes les œuvres, tout cela se transforme. Il y a des physionomies, dont on ne se contente pas de nous dire qu'elles sont « parlantes », mais qui nous parlent, dans le *Gil Blas*, dans les *Mémoires du comte de Grammont* d'Hamilton. Il y a dans Voltaire non pas des portraits en pied, mais du moins des silhouettes expressives. Nous apercevons Cunégonde, haute en couleur, fraîche, grasse, appétissante, la courte et ronde demoiselle de Kerkabon. Vers 1750, les romans anglais de Fielding et de Richardson révèlent un réalisme plus hardi. Romans sublimes, écrit ou plutôt chante Diderot, parce qu'ils sont l'image non pas de la vie choisie, embellie, travestie, mais de toute la vie. « Je connais la maison des Harlowe comme la mienne, la demeure de mon père ne m'est pas plus familière que celle de Grandisson ». Et il a voulu peindre les êtres et les choses avec la vérité de Richardson. Il a donné du « conte », c'est-à-dire du roman réaliste, la plus précise définition qui soit. Marquez une verrue sur le visage de Jupiter, une cicatrice de petite vérole

sur celui de Vénus, et vous aurez votre voisin ou votre
voisine et non plus Vénus ou Jupiter. *Jacques le Fataliste* et *Le Neveu de Rameau* surtout se sont appliqués à
nous donner des portraits où il y ait les verrues et les
cicatrices. On trouverait ces mêmes scrupules d'exactitude, le dessin d'une veine ou l'exacte figure d'une
maison dans *La Nouvelle Héloïse,* dans l'*Émile* de Rousseau, dans d'autres romans (bien que ce réalisme y reste
timide et précautionneux). Au théâtre, vers 1752-1760,
l'opéra-comique habille des paysannes en paysannes,
robes plates, tabliers, sabots. Mlle Clairon porte des
habits orientaux pour jouer Roxane, des chaînes pour
jouer l'esclave Électre. Les bancs de la scène sont
supprimés en 1759. Le drame est fort souvent un
mélodrame, c'est-à-dire qu'à la convention des dignités
tragiques, il en substitue une autre ; celle des souterrains,
des gibets et des têtes de morts. Mais tout de même
Diderot fait la théorie et essaie de montrer la pratique
de la vérité scénique. Il veut des « tableaux », c'est-à-
dire une mise en scène et une mimique qui nous donnent
l'illusion d'être chez les gens, non plus dans « un palais »
ou sur « une place ». Le drame est « bourgeois » et
même populaire, c'est-à-dire qu'il a pour héros des
paysans ou un vinaigrier ; il peint, ou il devrait peindre
des mœurs. La littérature ne se propose plus seulement
d'être fidèle à la « nature » et à la « raison universelle » ;
elle commence à prendre pour sujet la nature d'un coin
de Suisse, celle d'un bohême du quartier du Marais, la
maison d'un Père de famille qui vit sous Louis XV ou
celle d'un vendangeur de Suresnes.

L'instruction. — Ce goût des réalités devient si profond vers 1760 qu'il tend à transformer ce qui résiste
le plus longtemps aux transformations, l'instruction.
Nous avons montré comment, à travers tout le XVIIIe

siècle, les pédagogues étaient restés fidèles aux principes
qui dataient de plus d'un siècle. Ils pensaient que leurs
méthodes étaient sages pour l'éternité, que les qualités
d'un bon esprit ne changeaient pas avec les temps et
qu'il n'y a pas de motif pour transformer les leçons
qui les forment. Pourtant, peu à peu, des inquiétudes
se glissent, se précisent ; elles deviennent une rumeur,
une colère, un sarcasme. Les collèges enseignent le
latin, rien que le latin ; ils préparent à rédiger et pro-
noncer des discours, des odes, des élégies. Mais qu'a-t-on
à faire de latin, de discours ou d'élégies quand on doit
être capitaine, marchand de draps, fabricant de bas,
cultivateur ? Même la France a besoin de commerçants
et d'agriculteurs plus que de procureurs, d'avocats ou
de théologiens. L'éducation et l'instruction doivent
préparer des Français qui auront d'autres devoirs que
de tourner un compliment et de bien faire la révérence.
Elle doit être réaliste et non plus scolastique ou même
scolaire.

Le **grand** maître fut évidemment Rousseau. Son
Émile fut tout de suite un livre illustre et dont on
suivit parfois les leçons avec une confiance stupide.
Il y eut des disciples qui lâchèrent leurs enfants dans
les champs en les rappelant le soir à coups de sifflet
pour les laisser vivre « selon la nature ». Mais Rousseau
convertit aussi bien les gens raisonnables. Il leur
enseigna quelques principes : instruire un enfant, c'est
lui apprendre à vivre ; la vie ne se soucie pas de ce qui
est dans les livres, de la synecdoche et de la catachrèse,
du sublime de mots et du sublime de pensées ; elle est
faite d'expériences et de luttes qui n'ont rien à voir
avec les luttes de l'école, celles où un élève « tribun »
triomphe d'un élève « empereur » pour avoir mieux
cité du Virgile ou mieux construit ses syllogismes.
L'éducation devra être, par conséquent, réaliste. On

mettra sans cesse Émile en contact avec les choses et
les gens ; on lui enseignera la géographie par les promenades, l'histoire naturelle par les leçons de choses, les
idées de violence, de justice, de prudence en le faisant
souffrir de la violence, de l'imprudence, etc. En deuxième
lieu, ce qu'il importe de former, c'est non pas la mémoire
ou même l'ingéniosité, mais le jugement. La valeur
d'un esprit se mesure non pas par son adresse à appliquer
les idées des autres, mais par son aptitude à former
lui-même et judicieusement ses idées. L'enfant aura
à vivre non parmi des Grecs, des Romains, des orateurs
ou des régents, mais parmi des hommes qui le perver-
tiront et l'exploiteront s'il ne sait pas juger les hommes
et comprendre les réalités.

Cette doctrine de l'*Émile* est essentielle non pas
seulement parce qu'elle est, pour une grande part,
judicieuse, mais parce qu'elle a converti et agi dès
le XVIIIe siècle. Elle n'était pas neuve pourtant. Parmi
les idées de Rousseau, il y en a une qui est bien à lui,
et qui est d'ailleurs une erreur évidente : c'est que chez
tout enfant, si on le met à l'abri des influences qui le
gâtent, la nature est bonne, toujours et parfaitement,
et qu'il n'y a qu'à laisser agir la nature. Mais cette
idée-là on l'a presque toujours laissée à Rousseau.
Des théoriciens (comme Guillard de Beaurieu) ont
pu la pousser jusqu'à la sottise. Les pédagogues s'en sont
le plus souvent tenus aux autres : éducation réaliste,
pratique et formation du jugement. Or avant l'*Émile*
on les trouvait chez des gens qu'on lisait beaucoup,
dans l'*Éducation des enfants*, de Locke, dans les traités
de Crousaz, de Morelly et chez quelques autres. Après
l'*Émile*, elles deviennent banales. Il faudrait énumérer
par dizaines les pédagogues qui demandent non pas
des réformes de l'instruction, mais une réforme qui la
renouvelle tout entière. En 1762, justement, le problème

se pose avec précision. L'ordre des Jésuites est supprimé
en France ; ils sont chassés des cent-vingt collèges
qu'ils dirigeaient. Il faut les remplacer ; et par là même,
il est aisé de remplacer leur méthode. De vastes consul-
tations s'organisent. La Chalotais, le président Rolland,
Guyton de Morveau, discutent et proposent. Cent autres,
philosophes, régents, maîtres de pension les imitent.
Bien entendu, ils ne s'accordent pas tous ; il y a des
audacieux et des timides. Mais tous ou à peu près vont
vers l'instruction pratique et réaliste, vers les sciences,
comme nous l'avons vu, vers les leçons de choses,
l'histoire, le français.

Pour nous en tenir à cet exemple, le français ne triomphe pas du latin. Le latin reste bien, presque partout,
et si l'on en excepte quelques pensions particulières dont
nous ne connaissons que les prospectus, l'enseignement
essentiel. Mais des théoriciens de la pédagogie, fort
nombreux, le discutent et le condamnent, parfois avec
sarcasmes et fureurs. Il y a, dès la première moitié du
XVIII⁰ siècle, une Querelle du latin où bataillent contre
la tyrannie des études latines presque tous les philosophes, Diderot, d'Alembert, Duclos, La Condamine
et Voltaire lui-même, malgré ses triomphes du collège
Louis-le-Grand. Un « pédant » et pédagogue suisse,
Crousaz, y lutte pour les études françaises ou scientifiques aux côtés de romanciers comme Prévost,
de gens du monde comme le comte de Tressan, de
poètes comme Bérenger, d'âmes sensibles comme
L.-S. Mercier ou Bernardin de Saint-Pierre. Ils ont
même pour alliés des professeurs, le Jésuite Berland,
l'abbé Gédoyn, le P. Navarre, le P. Papon, principal à
Lyon, Mathias, principal à Langres, etc. Dans la pratique, et c'est là surtout ce qui importe, le français
prend une place. Non pas partout, rappelons-le. Et
quand on l'enseigne, c'est souvent avec négligence.

Mais, tout de même, vers 1760, parmi les discours de
rentrée ou de distribution de prix, parmi les programmes
d'exercices publics, les discours, programmes, exercices
en français apparaissent. Ils sont la règle vers 1780.
On enseigne en français la rhétorique, presque partout
vers 1770, la physique vers la même date. On commence
à ne plus enseigner la philosophie en latin vers 1780.
Il y a des prix de français en rhétorique et en seconde,
un peu moins souvent de la quatrième à la rhétorique,
dans presque tous les collèges d'Oratoriens, dès 1764 ou
1770, et dans la majorité des collèges, vers 1780. Cicéron,
Virgile, Horace et Quintilien ne ferment plus la porte à
Bossuet, Massillon, Fléchier, Boileau, Molière même,
à *Esther*, *Athalie*, *La Henriade*, et Louis Racine (*La
Religion*). Au culte du passé se substituent les études
du présent et d'auteurs presque contemporains.

La politique réaliste. — Il serait bien surprenant que
cet esprit réaliste ait gagné jusqu'aux collèges et qu'il
n'ait eu aucune influence sur les théoriciens de la
politique. « Raisonneurs de cabinet, architectes de
nuées », ont dit Taine ou Tocqueville. Mais c'est
Tocqueville ou Taine qui furent des gens de cabinet et
non pas les premiers réformateurs politiques, Fénelon
administrant son diocèse, Vauban parcourant les provinces, Boisguilbert, lieutenant général de bailliage ;
non pas Montesquieu, conseiller, puis président de
Parlement, Helvétius, fils de médecin, fermier général,
seigneur résidant dans ses terres et les administrant,
Voltaire qui édifie une immense fortune et qui fait d'un
terroir pauvre, d'un petit village un pays riche et
industrieux, Turgot, intendant de Limoges, puis
ministre, Mably, secrétaire du cardinal de Tencin
et qui prépare des négociations et des traités ; non pas
les physiocrates qui sont laboureurs, secrétaire d'Inten

dant, intendant ; non pas même d'Holbach qui s'occupe
de fort près de sa vaste fortune et de ses terres. Et
cette expérience, ce souci des réalités apparaît très
clairement dans leurs œuvres.

Montesquieu a fait partie de ce Club de l'Entresol
où l'on discutait de l'*histoire* des traités, de l'*histoire*
des États généraux et des Parlements, de l'*histoire*
du commerce. Et son *Esprit des lois* est ou du moins a
l'intention d'être une histoire des lois ; au lieu de les
juger, d'en raisonner selon des systèmes de droit naturel
ou de lois rationnelles, il *constate* ce qu'elles sont dans
la réalité de l'histoire et des gouvernements. Les conclusions sont que ces lois sont bonnes lorsqu'elles réalisent
non pas l'équité et la justice en soi, mais la part d'équité
et de justice qui s'accommode avec le climat, le terrain
et les mœurs. C'est lui qui a donné sa forme la plus
précise à un vaste mouvement d'opinion qui, depuis
le début du siècle jusqu'à la Révolution, cherche dans
l'histoire de France les « lois fondamentales » de la
monarchie. On peut dire que Voltaire n'a pas de théorie politique, pas de système. Il n'a que des idées par-
tielles et ces idées sont constamment une réaction contre
des réalités immédiates, des abus précis, pour des réformes pratiques. D'Holbach écrit deux « Discours » ou
chapitres pour démontrer que nulle forme de gouvernement ne convient à tous les peuples, nulle législation à
tous les hommes et qu'il faut distinguer les temps et les
lieux. Incontestablement, Mably est un philosophe
rationaliste. Il est persuadé qu'une bonne politique
doit tendre à réaliser les idées et qu'il n'y aura pas de
société solide tant qu'elle n'aura pas observé la justice
en soi et les lois rationnelles de l'équilibre social. Pourtant il n'ignore pas que « quelque profonde que soit
la politique, elle n'est jamais aussi habile que les passions
et quand elle aurait leur habileté, elle serait moins

opiniâtre dans ses volontés et moins attentive dans le détail journalier de ses opérations ». Condorcet, lui aussi, a le goût des constructions rationnelles. Il reproche à Montesquieu de forcer les lois, et par là même la raison et la justice, à changer selon les climats ou la forme des gouvernements. Il regrette, en 1788, qu'un incendie n'ait pas consumé tous les documents historiques où nous risquons d'égarer notre raison. Le rêve d'avenir de l'*Esquisse d'un tableau historique des progrès de l'esprit humain* est le rêve d'une société internationale (ou à peu près) réglée par le conseil des philosophes ; et ce n'est, si l'on veut, qu'un rêve. Mais Condorcet est pourtant, comme il le dit, disciple de Locke et de Hume. Il croit à l'observation, à l'expérimentation, à la nécessité de « savoir ignorer ». Avec les économistes, il aboutit à l'un des premiers résultats de l'observation dans les sciences : la différenciation. Dans l'histoire et la politique générales, il crée l'économie politique et ébauche la sociologie. M. Carcassonne a montré que c'est seulement à la veille de la Révolution, et pour des causes particulières, que l'esprit public semble « enivré d'abstractions » ; les contemporains mêmes s'en étonnent, en rappelant qu'on avait commencé par « fouiller dans les monuments de notre histoire » ; il y a dans les *Cahiers* autant de politique réaliste que de politique abstraite.

D'ailleurs, tous nos raisonneurs politiques ont toujours soigneusement distingué la théorie qui est une commodité, une satisfaction de pensée, des conséquences pratiques qu'il faut en tirer. Ils édifient des systèmes, comme les savants ; et la ruine d'un système scientifique ne détruit pas nécessairement les découvertes fondées sur l'observation et l'expérience. Le *Contrat social* de Rousseau n'est ainsi qu'un pur exercice d'esprit, un effort d'organisation d'idées. C'est le *Contrat* surtout que l'on cite lorsqu'on veut prouver que la philosophie

politique du XVIIIᵉ siècle a substitué la logique abstraite
à la politique réaliste. Et il n'est pas douteux que des
révolutionnaires ont voulu réaliser le *Contrat*. Mais ce
Contrat n'a jamais été pour son auteur une œuvre qui
résume toute la politique. Il devait faire partie d'un
Traité des institutions politiques. Rousseau n'a jamais
dit qu'il devait en être le couronnement. Il n'était,
sans doute, qu'une vue théorique d'où Rousseau aurait
tiré non pas les lois des faits, mais des commodités
pour comprendre les faits. De ce *Contrat*, Rousseau n'a
jamais parlé comme d'une œuvre essentielle. Et les
contemporains, avant la Révolution, semblent n'y
avoir pas attaché plus d'importance qu'à un divertissement d'école, à une sorte de jeu philosophique. Il
n'y a pas une édition du *Contrat*, une allusion au
Contrat, pour dix éditions de *La Nouvelle Héloïse* et
de l'*Émile*, dix allusions à ces œuvres.

Quand Rousseau veut passer de la spéculation à
la pratique, il rédige pour les Polonais et les Corses
des projets où il n'est pas du tout question de pacte,
de religion d'État et de mesures dictatoriales pour la
sauvegarde du pacte. Les autres théoriciens de la
politique font comme lui. Pour n'insister que sur un
exemple, aucun de ces précurseurs de la Révolution, de
ces défenseurs des droits « naturels », n'a songé que la
France pouvait être organisée en démocratie, ni même
en royauté constitutionnelle. Voltaire a répété à dix
reprises que « la démocratie ne semble convenir qu'à un
tout petit pays ; encore faut-il qu'il soit « heureusement
situé ». Il a eu avec « l'amour du peuple » la haine de
la « populace » ; et il arrive que les deux mots semblent
avoir pour lui le même sens. Rousseau croit que la
démocratie est possible dans un « petit État » comme
Genève, peut-être chez un petit peuple pastoral comme
les Corses ; mais non pas en Pologne ou en France.

Le *Système social* de d'Holbach distingue longuement peuple et populace, condamne la démocratie, l'égalité, les révolutions. Mably va jusqu'à songer à la suppression de la propriété foncière, mais ces rêves d'égalité sont assagis par toutes sortes de prudences aussi peu communistes que possible. Il craint la « multitude dégradée » et lui retire la puissance législative. Il demande la séparation des pouvoirs, la subordination du pouvoir exécutif au pouvoir législatif. Il conclut que la « pure démocratie serait un gouvernement excellent avec de bonnes mœurs, mais détestable avec les nôtres ». Condorcet demande bien une définition des « droits de l'homme » et réclame l'égalité ; mais à la veille de la Révolution il écarte encore de tous droits politiques ceux qu'il appelle les « citoyens passifs », les non propriétaires. Les autres philosophes sont encore plus prudents. Pour L.-S. Mercier la démocratie est « le pire des gouvernements » ; pour Diderot, qui s'occupe d'ailleurs assez peu de politique, elle n'est possible qu'en Hollande ou en Suisse ; il rêve bien plutôt, comme Voltaire, « d'un despote éclairé ». L'*Encyclopédie*, qui les reflète assez bien, est, si l'on veut, audacieuse. Elle est nettement contre la monarchie de droit divin. Elle proclame, au grand scandale du *Journal de Trévoux*, les droits des sujets. Elle demande qu'on restreigne les privilèges, qu'on assure la liberté civile. Elle souhaite une constitution. Mais elle « n'approuve pas du tout dans un État la chimère de l'égalité absolue » ; elle affirme que si un petit État doit être républicain, « le législateur donnera le gouvernement d'un seul aux États d'une certaine étendue ».

Même lorsqu'il s'agit des idées qui leur sont les plus chères, les philosophes font des distinctions et des réserves. Ils croient que le seul instrument du progrès est l'intelligence et que c'est un instrument infaillible.

Ils devraient donc avoir demandé la diffusion de l'instruction. Or, au xviiie siècle, c'est l'Église qui travaille
à multiplier les écoles primaires et qui d'ailleurs y
réussit. Ni Voltaire, ni d'Holbach, ni Diderot, ni Louis
Sébastien Mercier, ni Rousseau bien entendu, ni dix
autres n'ont demandé « l'égalité devant l'instruction ».
Ils ont cru qu'elle était, pratiquement, impossible et
dangereuse, et c'est le procureur philosophe La Chalotais
qui résume leur opinion dans son *Essai d'éducation
nationale* · « Le bien de la société demande que les
connaissances du peuple ne s'étendent pas plus loin
que ses occupations ».

Ils se sont donc attachés non pas du tout à des révolutions ni même à des réformes profondes, mais à la
suppression de quelques abus si criants qu'il n'y avait
plus personne pour les défendre, sinon les intéressés.
Liberté individuelle et civile, liberté de conscience,
liberté de parler et d'écrire, égalité relative devant
l'impôt, abolition des droits féodaux qui subsistaient,
liberté du commerce et de l'industrie, réforme de la
justice, suppression de la vénalité des charges, c'est le
programme de Voltaire, de Diderot, de l'*Encyclopédie*,
de d'Holbach. Celui de Mably ou de Condorcet n'est pas,
avant la Révolution, beaucoup plus audacieux ; il
insiste seulement davantage sur les droits des citoyens
et la nécessité de les proclamer. Tout cela pouvait se
faire sans bouleversement et, quand le bouleversement
est venu, ceux des philosophes qui survivaient ont été
stupéfaits, puis scandalisés. Restif de la Bretonne,
L.-S. Mercier, Raynal, Marmontel, Brissot même ne
comprennent pas. « Les philosophes, conclut Morellet,
n'ont voulu ni faire tout ce qu'on a fait, ni l'exécuter
par tous les moyens qu'on a pris, ni l'achever en aussi
peu de temps qu'on y en a mis ». Aucun de ses compa-
gnons de l'*Encyclopédie* ne l'aurait démenti. Peu importe

dira-t-on ; les révolutionnaires ont tiré des œuvres
encyclopédistes les conséquences qu'ils n'y avaient
pas vues, mais qui s'en dégageaient nécessairement.
C'est jouer sur le mot *nécessaire*. La pensée des philosophes était justement qu'on ne peut pas passer de la
théorie à la pratique sans surveiller, réviser, adapter la
théorie. On ne pouvait être vraiment leur disciple
qu'en restant fidèle à cet esprit.

QUATRIÈME PARTIE

LA PHILOSOPHIE ET LA LITTÉRATURE DU SENTIMENT

CHAPITRE PREMIER

LA PHILOSOPHIE

NOTICE HISTORIQUE : Jean-Jacques Rousseau naquit à Genève en 1712. Mal élevé, apprenti greffier, puis apprenti graveur, il quitta Genève un beau jour (1728) pour se convertir au catholicisme. Il fut recueilli par une convertisseuse d'Annecy, Mme de Warens, chez qui il vécut, en tentant divers métiers et en faisant quelques fugues jusqu'en 1740. L'époque la plus heureuse de sa vie auprès de Mme de Warens fut, dit-il, les séjours qu'il fit, de 1738 à 1740, dans une petite propriété des environs de Chambéry, louée par sa protectrice, les Charmettes. Mais Mme de Warens, inconstante, s'était engouée d'un nouveau protégé et Jean-Jacques se décida à partir pour Paris.

Il y tenta le métier d'homme de lettres, se lia avec Marivaux, Fontenelle, Diderot et fut nommé secrétaire de l'ambassadeur à Venise, M. de Montaigu ; il se brouilla avec lui et revint en

France en 1744. Il entra alors comme secrétaire chez la femme
d'un financier, Mme Dupin. En 1750 il prit part à un concours
de l'Académie de Dijon sur la question « Si le rétablissement
des sciences et des arts a contribué à épurer les mœurs ».
Son Discours, qui concluait par la négative, fut couronné et
Rousseau devint brusquement célèbre. Il concourut à nouveau
sur la question de l'*Origine et les fondements de l'inégalité parmi
les hommes* (1754). Après un voyage à Genève, où il revint au
protestantisme et reprit sa qualité de citoyen, il se retire en
1756 dans une maisonnette de la vallée de Montmorency,
l'Ermitage, prêtée par son amie, Mme d'Épinay. Il se brouille
avec elle et se réfugie à Montmorency, puis dans une dépendance du château du maréchal de Luxembourg. Il publie sa
Lettre à d'Alembert sur les spectacles (1758), le roman de *La
Nouvelle Héloïse* (1761), *Émile ou de l'éducation* (1762), le
Contrat social (1762). L'*Émile* est condamné et Rousseau doit
s'enfuir pour échapper à l'emprisonnement. Chassé tour à tour
d'Yverdon en Suisse, de Motiers près de Neuchâtel, de l'Ile
Saint-Pierre dans le lac de Bienne, il accepte l'hospitalité
offerte en Angleterre par le philosophe Hume. Mais il se brouille
violemment avec lui, revient en France où il erre quelque
temps en proie à une demi-folie de persécution et revient enfin
à Paris (1770). En 1778 il accepte l'hospitalité que le marquis
de Girardin lui offrait dans son parc d'Ermenonville. Il y
mourut la même année. On publia *Les Confessions,* les dialogues
Rousseau, juge de Jean-Jacques et les *Rêveries du promeneur
solitaire* de 1781 à 1790.

Bernardin de Saint-Pierre naît au Havre, en 1737. Ingénieur
surnuméraire des armées, il est révoqué et parcourt la Hollande, la Russie, la Pologne, l'Allemagne à la recherche d'une
place et en ne rencontrant que des aventures amoureuses.
Après un voyage à l'Ile de France (1768) il rentre en France
où il vit d'expédients. Le succès des *Études de la nature* (1784)
lui donna la gloire et l'argent. Il publie successivement *Paul
et Virginie* (1787), *La Chaumière indienne* (1790), un ouvrage
politique, *Les Vœux d'un solitaire* (1790). Il mourut en 1814.

Les origines. — Même au XVIIᵉ siècle la philosophie,
la littérature et la vie n'ont pas été tout entières dirigées
par la raison et les idées claires. C'est très évident pour
la vie. Si les héros de Corneille veulent toujours ce que
leur raison décide et peuvent toujours ce qu'ils veulent,

si les héros de Racine en s'abandonnant à leurs passions
connaissent clairement leur faiblesse et l'abîme où elle
les conduit, nous savons par les mémoires et par des
centaines de documents que les instincts gardent dans
la vie réelle leur puissance aveugle et les passions leurs
déchaînements confus. Mais la philosophie cartésienne
elle-même rencontra tout de suite des obstacles. Elle
fondait la philosophie et la vie sur le raisonnement ;
exercer sa pensée, c'était pratiquer une logique intellectuelle. On pouvait concevoir une autre philosophie ou
tout au moins une autre direction de la vie, et on n'y a
pas manqué.

Ces réactions contre la souveraineté de la raison sont
venues de deux côtés opposés, du côté de la religion et
du côté du libertinage. Un Bossuet, un Bourdaloue ne
doutent pas qu'ils ne puissent nous donner une idée claire
de la religion : croire, c'est croire avec toute sa raison.
Suivre sa religion, c'est faire acte de sagesse réfléchie.
Mais il y avait dans la foi religieuse, ou il pouvait y avoir
autre chose : l'élan du cœur, l'amour. On croit à son
Dieu, on se donne à lui parce qu'on l'aime et non pas
parce qu'on a réfléchi qu'il était le vrai Dieu. Cette
forme mystique de la piété, cette religion du cœur
enfonce de plus en plus, dans le xviie siècle même, des
racines puissantes. La direction des pensées et des
cœurs religieux n'est pas tout entière aux mains de ceux
qui veulent une religion raisonnable ; elle appartient
très souvent à des chefs mystiques qui s'embarrassent
fort peu des idées claires et distinctes et à qui il suffit
de croire et d'enseigner avec une ardeur brûlante et un
pathétique émouvant. Saint François de Sales est peut-
être le véritable guide spirituel du xviie siècle ; et il
conduit « Timothée » par les voies de l'amour et de
l'extase plutôt que par celles de la sagesse et de la
réflexion. Encore est-il un mystique tempéré, qui garde

dans ses ferveurs les plus vives cette mesure et ce
bon sens d'expression qui font de lui comme un mystique classique. Mais il y a bien d'autres écoles mystiques, qui ne se sont pas souciées d'être de la philosophie
ni de la littérature, dont les chefs n'ont pas laissé leur
nom dans la mémoire des hommes, et qui pourtant ont
conquis des foules. On se souvient surtout de l'une
d'entre elles parce qu'elle a suscité une querelle violente
entre des évêques illustres : c'est celle du Quiétisme.
Quelle que soit la valeur ou l'erreur religieuse du Quiétisme, il peut suffire à nous faire comprendre l'opposition profonde qui se creuse, pour des hommes de génie
et pour ceux qui les suivent, entre les raisons du cœur
et les raisons de la raison.

Le Quiétisme a été prêché par Mme Guyon. Peu
importerait son aventure, parmi dix autres aventures
mystiques du XVIIᵉ siècle, si elle n'avait pas conquis
Fénelon. Épuré par Fénelon, débarrassé de ses naïvetés
et de ses extravagances d'expression, le Quiétisme est la
religion du « pur amour ». On croit à son Dieu et on le
sert non pas parce qu'il est vrai, bon, juste, non pas
parce qu'on espère de lui la vie éternelle, mais simplement parce qu'on l'aime ; et on l'aimerait de même si
l'on avait la certitude d'être damné. Une pareille foi
n'a même pas besoin de dogmes, de pratiques pieuses,
ni même de prières traduites en paroles. Elle est une
extase, une communion. Dès lors l'intelligence et la
réflexion ne sont pas seulement inutiles ; elles risquent
d'être dangereuses. Il faut, et ce sont les expressions de
Fénelon, se faire « une âme de petit enfant », réduire la
pensée à une confiance instinctive, la vie intérieure à un
abandon. Le progrès moral n'est pas dans un perfectionnement, mais dans un engourdissement de l'esprit.
Mme Guyon fut condamnée ; Fénelon se soumit. Mais
d'autres écoles mystiques apparurent, en même temps.

Les libertins du XVIIe siècle n'étaient assurément pas des mystiques et les plaisirs qu'ils cherchaient étaient autre chose que des « oraisons mentales ». Ils avaient toutefois une morale ou tout au moins le désir d'une direction. Ils n'ignoraient pas que la « bonne nature » en leur faisant prendre plaisir à vider les pots ne leur donnait pas cette morale. Mais en « suivant ses lois », ils pouvaient, comme La Fontaine, se réjouir d'un beau ciel, d'un beau livre, d'un beau tableau, d'une belle rêverie, voire d'un joli visage ; ces plaisirs-là n'étaient pas défendus ; ils étaient même sans doute bienfaisants. Surtout les libertins n'avaient ni à se raisonner, ni à se contraindre pour aimer chèrement leurs amis, pour avoir pitié d'un malheureux, pour *prendre plaisir* à être secourable, généreux, fidèle. Cette morale de la nature n'était pas un raisonnement ni l'obéissance à une règle ; elle était un sentiment. Et ce sentiment pouvait avoir raison, même contre la raison. Ainsi toute la vie, depuis les plaisirs de l'art jusqu'à ceux de l'amitié et de la tendresse, pouvait obéir à des forces que l'intelligence ne peut guère justifier, mais qui sont aussi légitimes que les raisons de la raison. Cette morale et cette philosophie du cœur sont déjà plus ou moins clairement chez une Mme Deshoulières ou une Ninon de Lenclos ou un Molière ou un La Fontaine. Elles se précisent chez un Saint-Évremond ou un marquis de Lassay. Même, vers la fin du XVIIe et au commencement du XVIIIe siècle, s'ébauche une sorte de morale romantique, celle qui fait de la profondeur de la passion la justification de la passion. Aimer « avec fureur », « avec désespoir », peut être une admirable chose, malgré la faute, malgré les lois divines et humaines, lorsque l'amour est le don total de soi et l'ardeur du sacrifice. On lit et on relit deux exemples d'un tel amour, ce sont les *Lettres d'Héloïse et d'Abélard* et les *Lettres d'une religieuse*

portugaise. Et les *Lettres portugaises* ont une dizaine
d'éditions au moins ; il y a plus de 50 éditions, adaptations ou interprétations des *Lettres d'Héloïse.*

Les « forces du sentiment » interviennent également
dans les discussions et les doctrines littéraires. On les
ignore systématiquement à l'époque classique ou du
moins on n'y fait que des allusions rapides. Fénelon,
sans en faire la théorie, croit en elles. Quand il lui faut,
dans la *Lettre à l'Académie,* choisir entre les anciens et
les modernes, il ne donne guère de raisons en faveur des
anciens ; il se contente de nous dire, ou à peu près :
« Je les aime » et de les citer pour nous dire : « Voyez
comme j'ai raison de les aimer ». Cette « critique du
sentiment » n'a pas tout de suite fait fortune. Elle n'est
pas celle de ceux qui régentent alors l'opinion littéraire,
de Fontenelle ou de La Motte. Mais elle s'insinue pourtant. C'est elle au fond que Marivaux défend lorsqu'il
fait, avec esprit, mais avec une conviction profonde, la
théorie du « je ne sais quoi ». A des pages élégantes ou à
des boutades, les *Réflexions sur la poésie et la peinture,*
de l'abbé Dubos (1719), substituent une démonstration
appliquée et copieuse : « la voie de la discussion n'est
pas aussi bonne pour connaître le mérite des vers et des
tableaux que celle du sentiment ». Et le sentiment n'est
pas le fait des gens de métier et des pédants. Leur sensibilité « est usée », leur cœur « contracte un calus de la
même manière que les pieds et les mains en contractent ».

Jean-Jacques Rousseau. — J.-J. Rousseau n'a donc
pas inventé de toutes pièces la philosophie du sentiment.
Quand il parle du goût et de la critique il n'ajoute pas
grand'chose à ce qu'il avait lu dans Dubos, dans Levesque de Pouilly, dans le P. André. C'est lui pourtant
qui a fait du sentiment non pas un chapitre ou un aspect
de la philosophie, mais une philosophie nouvelle dressée

contre la philosophie rationaliste. C'est lui qui a dit :
« ceci doit tuer cela » ; c'est lui qui a fait la profondeur
et le retentissement de la doctrine. Ni Voltaire, ni Helvétius, ni Diderot, ni Condorcet ne résument, pris à part,
la philosophie rationaliste ou réaliste. Rousseau peut
résumer celle du sentiment.

Il ne l'a pas découverte tout d'un coup. En quittant
les Charmettes, quand il vient à Paris, c'est avec l'ambition de pousser sa fortune comme les autres, en étant
« bel esprit » et « philosophe » selon la mode. C'est
avec des philosophes qu'il se lie, avec Mably, Condillac,
Diderot. C'est Voltaire qu'il admire. Et ce sont des
maisons « philosophiques » qu'il fréquente et qui le
protègent : celles de Mme Dupin, de Mme d'Épinay,
de M. de la Pouplinière. Ses convictions ou ses indifférences, sa morale ou son immoralité sont philosophiques.
Il est le collaborateur de l'*Encyclopédie*. Même lorsqu'il
écrit le *Discours sur les sciences et les arts* ou celui *sur les
origines de l'inégalité parmi les hommes*, il n'a pas du
tout, pour le premier, et il a très peu pour le second,
l'impression qu'il se sépare des philosophes. Il raisonne
sur les progrès de l'intelligence ou sur la propriété
comme un philosophe pouvait en raisonner, avec de la
logique, des faits d'histoire, d'histoire naturelle, de
voyages. Ses conclusions mêmes intéressent les philosophes sans les scandaliser. Il y avait longtemps qu'on
réfléchissait sur les sauvages et la vie primitive et qu'on
les croyait heureux. Il y avait longtemps qu'on discutait par raisons raisonnantes des bienfaits ou des méfaits
du théâtre, des romans, du luxe ou même des académies.
Rousseau était plus éloquent, plus tranchant que les
autres ; mais d'autres, dont parfois même l'*Encyclopédie*,
avaient assez souvent conclu comme lui.

Seulement, ce qui n'était encore pour Rousseau qu'un
enthousiasme intellectuel devint peu à peu une convic-

tion profonde, un besoin, une règle de vie. Il n'était pas
bel esprit parce qu'il ne savait pas ou croyait ne pas
savoir plaire ; il n'était pas philosophe parce qu'il
n'éprouvait aucun plaisir réel à analyser des idées et
construire des systèmes. L'exercice de la raison était
pour lui une activité laborieuse et non pas une activité
agréable. Bien mieux, il crut s'apercevoir que cette
activité était non seulement inutile, mais encore dangereuse. En apprenant à raisonner, en raisonnant avec
talent, il avait conquis la réputation. Mais il n'était ni
meilleur, ni même plus heureux. Il était même mauvais ;
il avait mis ses enfants aux Enfants trouvés ; et il
n'était pas heureux. Toutes les occupations de son esprit
laissaient son cœur vide. Il en conclut que ses raisons
de vivre, que sa règle étaient non pas dans sa raison,
mais dans son cœur.

Il se résolut donc à vivre « selon son cœur ». C'est-à-
dire qu'il renonça au monde, à toute apparence de luxe,
à la société même des philosophes et sinon à la pensée,
du moins à presque tous les livres. Il s'enferma dans la
solitude de l'Ermitage, puis de Montlouis et de Montmorency. Il se mit à rêver, non à raisonner, à contempler, non à discuter, à « laisser parler son cœur » et
non pas sa logique. A la réalité de sa vie solitaire et
rustique, au murmure des ruisseaux d'avril, à la fraî-
cheur des pervenches, aux parfums de la fleur d'orange
du château de Montmorency, il voulut ajouter son
« siècle d'or », son « Empyrée » ; il se construisit un
monde où le bonheur et la sagesse n'eussent rien de
commun avec ceux des « sages de la terre » et « selon
le monde ». Ces vrais sages, ignorants de la « philosophie », dédaigneux de la raison, appuyés sur des certitudes à la fois plus consolantes et plus sûres, ce sont
la Julie et le Saint-Preux de la *Nouvelle Héloïse*, c'est le
précepteur et le *Vicaire Savoyard* de l'*Émile*.

Certes ils ne se croient pas à l'abri de l'erreur et des fautes. Leur cœur les entraîne ; ils sont coupables selon le monde, et, si l'on veut, ils sont coupables. Julie devient la maîtresse de Saint-Preux et le Vicaire a eu ses faiblesses. Mais la raison des philosophes n'est assurément pas un meilleur guide. Elle n'a que des excuses pour des fautes infiniment plus graves que celles de Julie et de Saint-Preux ; elle s'amuse de l'adultère quand elle ne le justifie pas. Et elle n'offre à qui cherche une règle de vie que des ironies cyniques et des négations désespérées. Certes on peut vivre en honnête homme tout en étant sceptique et philosophe. Rousseau le croit ou essaie de le croire quelques mois encore. Le M. de Wolmar de la *Nouvelle Héloïse* pratique toutes les vertus humaines ; et il fait le bonheur de Julie. Pourtant il ne croit point en Dieu. Mais Rousseau se persuade très vite qu'une pareille sagesse ou bien n'est qu'une affectation menteuse ou bien ramène invinciblement à ce que nient les philosophes. Le scepticisme de M. de Wolmar se heurte au désespoir, à la mort de celle qu'il aime. Il faut qu'il sombre dans l'horreur ou qu'il se renonce. M. de Wolmar à la fin du roman est donc sur le seuil de la conversion. Il revient à la religion ou plutôt à la philosophie religieuse de Julie et de Saint-Preux.

Cette philosophie, Julie et Saint-Preux l'exposent à travers leur roman d'amour et de résignation. Plus méthodiquement, le Vicaire Savoyard la démontre, longuement. Les raisonnements de la philosophie — et non pas seulement celle des livres, mais celle d'après boire et celle des bavardages de salon — expliquent l'âme par les propriétés du corps, du cerveau, des nerfs ; le corps lui-même n'est qu'une forme de la matière vivante ; et la matière vivante n'est qu'un des aspects de la matière, seule réalité de l'univers. Cette conclusion détruit l'âme, la liberté, la vertu, c'est-à-dire toute

raison de vivre. Heureusement il est facile de montrer
que ces raisonnements sont des paradoxes, cette logique
une suite d'illogismes. On peut se donner la peine,
comme Rousseau dans la *Profession de foi*, de le démontrer. Mais la peine est inutile. Si nous sommes sincères
avec nous-mêmes, si nous ne sommes pas aveuglés par
l'esprit de parti, nous sentirons que, même si les raisonnements des philosophes étaient impeccables, ils ne
nous convaincraient pas. « Une voix s'élève en nous »
que rien ne saurait faire taire, dont les enseignements
sont nets, impérieux, décisifs. C'est la conscience,
« instinct divin ». Par elle *je sens*, sans que rien puisse
prévaloir contre ce sentiment, que je suis libre de faire
le bien ou de commettre le mal, qu'il y aura pour mon
âme immortelle une récompense du bien, une punition
du mal, de la part d'un Dieu d'ailleurs pitoyable et
paternel.

Voilà les vérités et la démonstration qui suffisent.
Rousseau, en effet, ne l'a pas présentée seulement comme
une exhortation, mais encore comme une véritable
philosophie. Et cette philosophie applique des méthodes
qui n'ont rien de commun avec celles des soi-disant
philosophes. Les vérités de Julie, de Wolmar ou du
Vicaire Savoyard sont vraies parce qu'elles ont pour
elles l'adhésion invincible du sentiment, comme les
axiomes de la géométrie ou le « je pense, donc je suis »
de Descartes ont pour eux l'adhésion nécessaire de la
raison. Mais elles sont vraies aussi par une autre preuve :
elles sont efficaces ; elles sont les seules efficaces. Que
valent pour la vie de Saint-Preux, de Julie, de M. de
Wolmar, que vaudraient pour Émile les philosophies
raisonnables ? Rien du tout. M. de Wolmar reconnaît
qu'il pratique la justice et la bonté, malgré ses doctrines
ou tout au moins sans elles. Si Julie et Saint-Preux
suivaient les maximes philosophiques, ils seraient adul-

tères. Sans doute ils ne pourraient pas démontrer par
théorèmes géométriques qu'ils ont raison de ne pas
l'être et de préférer le rachat à l'obstination dans la
faute, une honnêteté héroïque au vice satisfait. Mais ils
sentent que ce sont leurs principes indémontrés qui
donnent à leur vie son prix. Comme le philosophe qui
prouvait le mouvement en marchant, ils démontrent
leurs certitudes morales par la dignité et la bienfaisance
de leur vie. C'est aux fruits qu'il faut juger l'arbre. Les
fruits philosophiques sont amers et empoisonnés ; ils
sont mauvais, ils sont faux. Les fruits de la « conscience »
et du « sentiment » sont vivifiants, ils sont vrais.

L'influence de la doctrine. — Ce n'était pas là seulement une doctrine nouvelle, une sorte de « pragmatisme ». C'était une doctrine de bataille. Rousseau ne se
contentait pas de réfuter des raisonnements, d'opposer
discussion à discussion. Il attaquait des hommes ; il les
vouait au mépris. Longtemps on l'avait confondu avec
les Encyclopédistes, avec les mauvais philosophes, avec
les « Cacouacs ». La comédie des *Philosophes* de Palissot
le jouait aussi méchamment que Diderot ou Helvétius.
Mais il se séparait d'eux ; il s'isolait dans les bois ; on ne
le voyait plus dans les salons. Puis il se brouillait
violemment avec Voltaire, Diderot, Grimm, Mme d'Épinay, d'Holbach. L'*Émile* consommait la rupture. La
Nouvelle Héloïse faisait encore de Wolmar un philosophe
inconséquent, mais sympathique. La *Profession de foi*
démontre expressément au contraire que les philosophes sont les ennemis du genre humain. Évidemment elle ne faisait pas de Jean-Jacques un défenseur de l'Église et le vengeur de la tradition. Elle
suscita de la part de l'autorité des mesures plus violentes que les œuvres de Voltaire ou d'Helvétius.
Rousseau chassé de France, chassé de Genève,

chassé d'Yverdon, chassé de Motiers, chassé de l'Ile
Saint-Pierre, fut réduit à la vie errante du persécuté. Pourtant, sans qu'on s'en doutât clairement,
la philosophie du sentiment allait renouveler la philosophie religieuse et créer une philosophie.

Contre les libertins, puis les philosophes, les défenseurs de l'Église s'étaient servi des méthodes philosophiques. Aux démonstrations ils opposaient des démonstrations ; à des arguments de logique d'autres arguments
de logique. Ils en appelaient d'une raison faussée à une
raison droite. Mais la raison des philosophes avait pour
elle la nouveauté, la clarté (au moins apparente), le
talent. Les défenseurs de la tradition n'avaient pas de
talent. Ils s'entêtaient dans des argumentations d'école,
dans une scolastique ou une logique toute mêlée de
scolastique dont les esprits contemporains se détour-
naient invinciblement. Ces argumentations comme les
injures d'un *Journal de Trévoux*, ou d'un Lefranc de
Pompignan, sombraient dans l'ennui ou le ridicule.
Pour y échapper, l'apologétique catholique tenta une
méthode nouvelle, qui échoua et glissa vers une autre
qui réussit.

Celle qui échoua, ce fut la méthode voltairienne. On
voulut vaincre l'esprit par l'esprit, opposer l'ironie à
l'ironie. L'avocat Moreau écrit les *Mémoires pour servir
à l'histoire des Cacouacs*, l'abbé Barruel, les *Helviennes
ou Lettres provinciales philosophiques* (1781), l'abbé
Feller, un *Catéchisme philosophique* (1773), où ils ba-
dinent sur les sottises et les ridicules de la philosophie.
Les badinages ne valaient rien. Il ne suffit pas d'être
sincère pour avoir l'esprit de Voltaire ou la verve de
Diderot. Mais il peut suffire d'être sincère et vraiment
ému pour émouvoir et du moins pour ne pas ennuyer.
Rousseau, en « parlant au cœur », révéla à ceux qui
voulaient écrire de la foi et de la piété qu'au lieu de

chercher à démontrer il pouvait leur suffire de toucher.
Assurément on n'établit pas ainsi une philosophie strictement catholique ni même chrétienne. Les « douceurs »
et les « beautés » de la religion ne sont pas les formules
précises des dogmes et des commandements. Et la religion du cœur fut prêchée par toutes sortes de disciples
qui n'étaient que des « déistes » et non pas des chrétiens. Mais du moins ces déistes et ces chrétiens ne
s'opposaient plus ; ils communiaient dans les mêmes
contemplations et les mêmes effusions. La « religion
naturelle » n'était plus une sorte de condescendance
philosophique, une abstraction raisonneuse. Elle deve-
nait un élan du cœur, un sentiment d'amour et de présence où les croyants, les demi-croyants et les in-
croyants même pouvaient s'unir ou du moins ne pas se
combattre. La philosophie avait dressé contre la religion
la formule du tout ou rien : si vous ne croyez pas qu'en
elle tout est vrai, vous êtes contre elle, avec les philosophes. Rousseau crée au contraire, entre la stricte orthodoxie et la négation philosophique, la religiosité. Et la
religiosité fut la pente par où l'on revint souvent à la
religion.

Il serait long de suivre tous les noms, toutes les
œuvres où les cœurs « s'élèvent vers Dieu », où l'on
« médite sur sa bonté », où l'âme « s'emplit du sentiment
de sa grandeur », où les « consciences révèlent son
saint nom ». Il faudrait énumérer des sermons de
prêtres, des odes et des élégies, des brochures et des
manuels de piété, des contes moraux et des romans,
les témoignages des mémoires, des journaux, des correspondances. On y rencontrerait l'officier Seguier de
Saint-Brisson, le poète Léonard, les romanciers La
Dixmerie, Durosoy, Sabatier de Castres, Mme Leprince
de Beaumont, le ministre Necker, l'abbé Gérard et
ce livre du *Comte de Valmont ou les égarements de la*

raison qui fut l'apologie chrétienne la plus lue à la
fin du XVIIIᵉ siècle, et vingt autres. On peut s'en tenir
à Bernardin de Saint-Pierre dont l'œuvre les résume
excellemment.

Elle les résume d'abord par quelques sottises.
Rousseau aurait volontiers réduit la religion à murmurer
« ô grand Être ! ô grand Être ! » et à s'extasier sur les
bontés de la Providence. Bernardin de Saint-Pierre,
en même temps que quelques autres, a poussé l'extase
jusqu'à des conclusions demeurées célèbres. La Providence a témoigné, selon lui, ses bontés en donnant
au melon des côtes pour qu'il fût plus aisé de le manger
en famille. Ces considérations, ces *Études de la nature*,
ne sont pas scientifiques selon la science des géomètres
et des philosophes. Mais Bernardin de Saint-Pierre
dédaigne cette science ; elle est mensongère et elle
est nuisible ; et elle est mensongère parce qu'elle est
nuisible. Il donne de ce « pragmatisme » les formules
les plus nettes et les plus brutales : « Il faut d'abord
chercher la vérité avec son cœur, et non avec son esprit.
— L'esprit n'a point de science, si le cœur n'en a la conscience. — La science nous a mené par des routes sédui-
santes à un terme aussi effrayant. Elle traîne à la suite
de ses recherches ambitieuses cette malédiction ancienne
prononcée contre le premier qui osa manger du fruit
de son arbre ». Les *Études* et leurs formules eurent
le plus éclatant succès. Du jour au lendemain Bernardin
de Saint-Pierre fut célèbre. Ses démonstrations,
c'étaient des « harmonies », des harmonies physiques
et des harmonies morales, des « charmes » et des
« douceurs », des mélancolies et des rêveries, des
tableaux colorés et des tableaux pathétiques. Assurément *Paul et Virginie*, qui vint ensuite, ne prouvait
pas que la concorde, le dévouement, la tendresse
naissent dans les cœurs que n'égarent pas les mensonges

des villes, comme les fleurs sur les bords des ruisseaux.
La religion et la morale de Paul et de Virginie ou de
leurs parents étaient peintes et non prouvées. Mais on
voulait justement des peintures et non plus des démonstrations. Qu'importaient les arguments de Voltaire,
la critique des Évangiles et les méfaits du fanatisme
lorsqu'on était touché, entraîné, convaincu ? On pleu-
rait, et l'on croyait, lorsqu'on lisait la prière au bord
des flots : « J'aperçus une troupe de jeunes paysannes,
jolies comme le sont la plupart des Cauchoises, qui sor-
taient de la ville avec leurs longues coiffures blanches
que le vent faisait voltiger autour de leur visage...
Une d'entre elles se tenait à l'écart, triste et rêveuse...
Elle s'approcha d'un grand calvaire qui est au milieu
de la jetée, tira quelque argent de sa poche, le mit
dans le tronc qui était au pied, puis elle s'agenouilla
et fit sa prière, les mains jointes et les yeux levés au
ciel. Les vagues qui assourdissaient en brisant sur la
côte, le vent qui agitait les grosses lanternes du crucifix, le danger sur la mer, la confiance dans le ciel,
donnaient à l'amour de cette pauvre paysanne une
étendue et une majesté que le palais des grands ne
saurait donner à leurs passions ».

LA LITTÉRATURE ET LA MORALE DU
SENTIMENT. LA VIE

Rousseau et les délices du sentiment. — Bien entendu
la philosophie du cœur de Rousseau avait pour conséquence une morale. La conscience ne révèle pas seulement, avec une certitude rigoureuse, Dieu, la Providence
et l'immortalité de l'âme. Elle nous fait connaître,
par la même intuition décisive, ce qui est bien et ce
qui est mal. Non pas, sans doute, les exigences compli-
quées de la morale sociale qui sont souvent inutiles
ou immorales, mais ce qui suffit pour que la vie
soit droite et féconde : ne pas faire de tort, ne pas
tromper, avoir pitié, s'entr'aider. Pour ceux que n'inté-
ressaient pas ou que scandalisaient les propos un peu
copieux du Vicaire Savoyard la démonstration ou plutôt
le tableau de cette morale intuitive et bienfaisante
était fait tout au long dans *La Nouvelle Héloïse*. Même
s'ils ne parlaient pas de la prière, de la Providence, ni
de morale, Julie et Saint-Preux nous donneraient des
règles de vie. Leur destinée n'est pas seulement pathétique ; Rousseau veut qu'elle soit un modèle. Philosophie, morale, littérature sont donc liées étroitement
chez lui. Mais on a cru souvent, au XVIIIᵉ siècle, à la
morale de Rousseau ou à une morale analogue sans

accepter sa philosophie générale. On a enseigné et pratiqué cette morale sans s'occuper le moins du monde de principes et de philosophie. Dans l'ensemble, on organise une morale littéraire et pratique beaucoup plus qu'une morale systématique.

Le principe de cette morale est qu'on ne raisonne pas sur la morale, on la sent. Elle n'est pas affaire de raisonnement, mais d'émotion. Et notre force pour lui obéir ne vient pas d'une volonté réfléchie, d'un effort calculé, mais d'un élan instinctif, d'un besoin du cœur. Même, faire le bien par volonté, suivre la morale par obéissance, c'est s'astreindre à une discipline pénible, c'est « faire effort » et c'est souffrir. Or, il n'est pas nécessaire que la morale soit un sacrifice. Elle n'est, dans les cas les plus cruels, que le sacrifice le moins pénible. Saint-Preux et Julie souffrent amèrement de renoncer l'un à l'autre ; mais ils souffriraient plus encore de jeter les parents de Julie dans le désespoir. Très souvent même l'accomplissement du devoir devient au lieu d'un sacrifice une joie profonde ; on se dévoue parce qu'on aime ; on est généreux parce que le cœur s'émeut. Et il y a dans les émotions de l'amour et de la générosité le paiement de notre sacrifice. Cette conception de la morale et de la vertu n'était pas tout à fait nouvelle. Elle est déjà dans Vauvenargues qui entend d'ailleurs par sentiment non les émotions romanesques et les troubles du cœur, mais les passions des âmes fortes. Elle est dans *Les Mœurs* de Toussaint : « L'amour seul peut nous rendre fidèle à nos devoirs ». Elle est impliquée dans la comédie larmoyante de Nivelle de la Chaussée. Ses héros ont raison lorsqu'ils sont touchants ; nous les approuvons dès que notre cœur nous fait leur complice. Elle se glisse même dans les romans, bien avant *La Nouvelle Héloïse*. Pourtant ces enthousiasmes, avant 1760, sont encore dispersés, ou ils sont mesurés. C'est

bien Rousseau qui a donné à la morale du sentiment
la forme qui, au XVIIIᵉ siècle, tend à triompher.

Avant Rousseau on fait au sentiment sa part. Il n'est
plus un principe d'erreur ou de faiblesse ; il est une des
formes légitimes de la vie. Mais il n'est pas l'essentiel
de la vie ou du moins il n'en est pas le seul guide. Quand
il envahit toute l'âme et domine toute la destinée,
c'est un accident qui est un sujet de roman ou de
drame et non pas un idéal. Pour Rousseau, au contraire,
le seul principe « actif » dans l'âme, c'est le sentiment ;
le prix de la vie se mesure à la part qu'y prend ce
sentiment. Et plus il est ardent, plus il est sûr ; plus
il est exclusif, plus il est enviable. M. de Wolmar a
toutes les satisfactions de la « sagesse » raisonnable ;
il fait tout ce qu'il veut ; et tout ce qu'il veut est juste
et sensé. Tout cela n'est rien, pourtant, dès qu'il
connaît Julie. Ce sentiment, si sage qu'il demeure, si
peu passionné, l'emporte sur tout le passé de philosophie, sur toutes les joies de la raison. Saint-Preux
pourrait être philosophe ; il sait, comme un autre, lire,
observer, discuter. Mais toute philosophie ou même
toute activité pratique lui paraissent vaines. Il traverse
les salons parisiens ; il est initié par un pair d'Angleterre
à la politique ; il fait le tour du monde. Qu'importe !
Ni la science, ni le gouvernement, ni le spectacle du
monde ne valent une minute de ses félicités avec Julie,
une heure même de ses tourments d'amour. Il ne repren-
dra de goût à vivre, il ne s'intéressera à sa destinée et à
la destinée que là où son cœur sera « pris », où il sera
question d'aimer, de se dévouer. Il goûtera le ménage
rustique du château de Wolmar parce que personne
n'y vit pour son plaisir, pour l'ambition, pour l'argent,
mais pour le plaisir et la prospérité des autres et de
tous. C'est donc tout l'ordre de la vie qu'il faut changer.
Il ne faut plus dire : vivez pour apprendre et comprendre ;

ni : vivez pour obéir à l'ordre et à la règle ; mais : vivez
pour aimer, vous attacher, pour écouter la voix du
cœur. Par là même vous serez dans la règle et « vous
n'aurez plus rien à apprendre ».

Le fatal présent du ciel. — On voit aisément les conséquences de la doctrine ; et on les a, depuis Rousseau
et surtout depuis le romantisme, copieusement dénon-
cées. Rousseau devait d'ailleurs reconnaître lui-même,
en écrivant ses *Lettres*, ses *Rêveries*, ses *Confessions*
qu'il y avait dans le cœur et le sentiment des replis
obscurs, des forces mystérieuses et qu'elles pouvaient
nourrir dans l'âme autre chose que la paix, l'enthousiasme ou l'extase. Il sentait en lui un « mal inexpli-
cable », un « vide impossible à combler ». Saint-Preux,
en songeant à ses brèves délices et à ses longs tourments,
accusait le « fatal présent du ciel ». En un mot, il
s'apercevait que la faculté de sentir était la faculté de
souffrir. Et la souffrance des âmes sensibles pouvait
aisément les conduire à l'inquiétude, au désordre, au
mal du siècle. On l'avait deviné et même dit avant
Rousseau. De ci, de là, des âmes tourmentées ou des
romanciers avaient peint les troubles délicieux et
mortels des passions ardentes. On « boit à longs traits
leur poison ». En se servant à l'avance des termes
mêmes de Rousseau, on goûte leurs « douceurs funestes »,
les « douleurs qui ont leurs charmes », la « chère et délicieuse tristesse » et même le « fatal présent du ciel ».
Mais ni les *Lettres d'une religieuse portugaise*, ni Baculard d'Arnaud, ni le chevalier de Mouhy, ni les autres
n'avaient vraiment conquis l'opinion. Rousseau, au
contraire, avec sa *Nouvelle Héloïse*, d'un seul coup,
subjugua.

On s'arrache l'*Héloïse*. On passe les nuits à la lire.
On la loue douze sous l'heure et par volume. Dans la

plus lointaine province, à Vrès ou à Hennebont, on
l'attend avec fièvre, on s'afflige de n'en recevoir que
des contrefaçons. Et l'on y puise, avec les conseils
que Rousseau avouait, ceux qu'il y mettait sans le
dire. Les hommes comme les femmes s'y repaissent
d'angoisses, s'y abreuvent de pleurs, se grisent du « plaisir de sentir ». Le futur général baron Thiébault ne
peut achever la lecture sans crier, sans hurler « comme
une bête ». Et tout en pleurant on se persuade de ce
qu'enseignent désormais les héros et les héroïnes de
vingt romanciers. La sensibilité est « un souffle divin ».
« O sensibilité, soupire celui-ci, c'est avec toi que je
veux vivre, heureux ou malheureux ». Aimer ne suffit
plus à cet autre et à dix autres. Il leur faut s'abîmer
dans l'extase et confondre l'extrême félicité et les
affres d'une angoisse obscure : « Jouir d'une telle
félicité et y survivre... Est-ce bien là sentir ! ». « O Dieu !
avec quelle âme m'as-tu fait naître... Mon amour
m'épouvante et je serais désespéré d'en guérir ! ».
Ces désespérés, qui cultivent leur misère et drapent
leur vie dans des voiles funèbres, se multiplient chez
les romanciers, avant *Werther*, trente ans avant *Ober-
mann* et *René*.

Ce n'est pas d'ailleurs Rousseau qui est responsable,
ou il l'est à peine. Le mal de vivre et le pessimisme
romantique ne sont que suggérés dans ce qu'ont lu
les contemporains, dans l'*Héloïse*. Ils n'ont connu les
Rêveries et les *Confessions* que de 1781 à 1790. Bien
avant elles, des œuvres illustres ou copieuses avaient
prodigué les décors sépulcraux, chanté les sombres prestiges de la mort et plaint, avec application, les tristes
destins de l'humanité. Déjà des héros de l'abbé Prévost, Cléveland et le Patrice du *Doyen de Killerine*,
traversent la vie en pliant sous le poids d'une obscure
fatalité. Malheureux, ils exaspèrent leur souffrance

en se repliant sur leur cœur ; heureux, ils empoisonnent
leur bonheur par le pressentiment des lendemains.
A partir de 1750, et surtout à partir de 1760, la littérature « sombre » et la littérature « noire » ne sont
plus un goût, mais une mode et une passion. On traduit
les *Méditations sur les tombeaux* d'Hervey (1770) et
l'*Élégie sur un cimetière de campagne* de Gray (1768).
Feutry publie son *Temple de la mort* en 1753, et ses
Tombeaux. L'un des livres les plus lus, les plus commentés, les plus imités, c'est la traduction de ces *Nuits*
(1769) où le poète anglais Young enterre lui-même sa
fille, à la lueur tragique d'une lanterne, en méditant sur
le mal de vivre. Puis le « sombre » envahit la littérature
sans qu'on cite d'ailleurs Rousseau, sans qu'on songe à
justifier le genre par son exemple ou par son œuvre.
Baculard d'Arnaud le prodigue, avec tout le reste des
extases ou des frissons du cœur, dans *Les Délassements
de l'homme sensible* et *Les Épreuves du sentiment*. Il se
vante d'avoir inventé le drame « sombre » ; et l'invention eut du succès. En 1776, on traduit le *Werther* de
Gœthe ; et il eut, avant 1797, quinze traductions,
adaptations ou rééditions. Léonard, Loaisel de Tréogate
commencent même à faire de leurs romans la confidence
des tourments passionnés de leur propre cœur. L'écri-
vain, pour mieux souffrir, se jette en pâture aux lecteurs.
**Tout le mal romantique entre dans le conte et le
roman.**

Les délices de la vertu. — Mais ce mal n'était, pour les
romantiques du XVIIIe siècle, pour Rousseau, pour ses
disciples et pour les autres, qu'une erreur passagère, un
accident sans conséquences. Ils ont cru aux « charmes
de la sensibilité » et aux « délices du cœur », parce
qu'ils ont été très persuadés qu'ils étaient en même
temps les charmes et les délices de la vertu. Pour les

romantiques du romantisme la sensibilité et la passion étaient aussi, si l'on veut, une vertu, en ce sens qu'elles étaient la seule vertu. Au-dessus des morales vulgaires et des préjugés, la passion, souffle divin, se fait sa loi. Le devoir et elle se confondent. Et lorsqu'elle entre en lutte avec des devoirs qui la contredisent, ce sont les devoirs qui ont tort. Mais il n'y a jamais rien eu de pareil chez nos romantiques du XVIIIᵉ siècle. Ils ont tous, qu'ils fussent ou non ses disciples, accepté les certitudes de Rousseau. Or, dans cette *Nouvelle Héloïse* qui fut, au XVIIIᵉ siècle, comme la Bible du sentiment, lorsque la passion se heurte à la vieille morale, à celle de toutes les sociétés depuis la Bible, c'est la passion qui renonce ou qui lutte pour renoncer. Saint-Preux et Julie pourraient être heureux, unis et mariés ; il suffirait que Julie abandonne ses parents, dont un père égoïste et tyrannique. Plus tard, ils pourraient tenter d'un autre bonheur, de cet adultère qui était, dans la société aristocratique du siècle, le grand accommodement entre le mariage imposé aux filles et le droit de « laisser parler son cœur ». Mais pour que Julie reste fidèle à ses devoirs de fille, Saint-Preux la quitte et tous deux se résignent au mariage avec M. de Wolmar qui a la cinquantaine et qu'elle n'aime pas. Au lieu de revenir vers Julie mariée, Saint-Preux part pour le tour du monde. Et quand il retourne au château de Wolmar, c'est pour admirer longuement la règle de vie des châtelains ; règle inspirée tout entière des vertus et de l'idéal les moins romantiques qui soient. On y vit non pour des exaltations, mais pour la paix tranquille ou la résignation, non pour des aventures, mais pour les travaux et les joies obscurs que ramène sans cesse l'ordre alterné des saisons, non pour se dresser contre l'univers, mais pour s'oublier soi-même en se dévouant aux autres. La *Nouvelle Héloïse* en même temps que l'hymne de la sensibilité est le poème des vertus de petits bourgeois.

Or on a pris le même plaisir au poème qu'à l'hymne. La meilleure preuve est que les lecteurs n'ont rien vu, le plus souvent, de ce qu'il y avait de trouble et d'inquiétant dans la morale de l'*Héloïse* : si Julie y meurt vertueuse, elle laisse entendre qu'il était temps et qu'elle a bien fait de mourir. Des philosophes comme Voltaire, Marmontel, La Harpe, Mme Necker, ou des critiques qu'offusquait la religion de Julie ne se sont pas fait faute de dénoncer le « poison » et les « sophismes » du roman. Mais c'étaient des philosophes ou des gens qui avaient la religion à défendre. Tous les autres, souvent même les plus prudents et les plus bourgeois, n'ont puisé ou n'ont cru puiser dans le livre que des leçons de sagesse et d'abnégation, le *Mercure de France*, comme l'*Année littéraire*, les concurrents des Jeux floraux comme les pasteurs protestants, les femmes comme les hommes, et les gens de peu comme les gens titrés. Tous pensent comme Manon Phlipon, la future Mme Roland, que, pour ne pas sentir la puissance vertueuse du roman, il faut « n'avoir qu'une âme de boue », et comme Mme de Staël qu'« il faut lire l'*Héloïse* quand on est marié... on se sent plus animé d'amour pour la vertu ».

Les romanciers, qu'ils avouent ou non Rousseau pour leur maître, ont eux aussi associé le sentiment et la vertu et même, le plus souvent, l'héroïsme de la vertu à l'exaltation du sentiment. Ils distinguent, et c'est une apparence de romantisme, entre des vertus de « préjugé » et des vertus vraies. Mais quand on connaît les préjugés qu'ils condamnent il est malaisé de n'être pas d'accord avec eux ; c'est, le plus souvent, l'obligation pour une fille d'épouser le vieillard riche ou le rustre influent qui convient à son père, ou tout au plus le mépris social pour la fille séduite. C'est à cela que se bornent leurs luttes contre la société. Pour tout le reste, ils demandent au sentiment d'inspirer l'abnégation, la fidélité, la pudeur. Tous les héros sont proprement cornéliens : ils triomphent des passions les plus véhémentes ; seulement ce n'est pas parce que leur raison est souveraine sur leurs passions, c'est parce qu'ils se laissent aller à l'impulsion de leur cœur plus avide de vertu souffrante que de bonheur coupable. Ils allient « tous les transports de la passion à toute la dignité de la vertu ». Un « enthousiasme secret les élève au-dessus d'eux-mêmes ». Leurs cœurs ne sont « électrisés par le sentiment que pour être agrandis par la vertu ». Et l'on voit reparaître cette doctrine des passions bienfaisantes qui se précisait depuis un siècle. « On n'a point de vertus sans passions ; les passions seules constituent l'homme vertueux ». « Religion ! devoirs sacrés ! vertus qui rentrez toutes dans la sensibilité ». Par elle, nous devenons des « demi-dieux ». Car Dieu est le « Dieu même de la sensibilité » ; « l'âme ravie jusqu'aux cieux semble s'y confondre dans le sein de la divinité dont elle reçut le germe de cet amour précieux, vie de l'univers, source de félicités, flamme éternelle qui donne à la vertu cette chaleur héroïque si nécessaire à son existence ».

Le mouvement général de la littérature. — C'est assurément dans les romans que coulent le plus impétueusement ce que l'on appelle déjà les « flots de la sensibilité ». Rousseau domine le roman et c'est son nom et son œuvre que nous avons surtout rencontrés jusqu'ici. Mais le torrent de la sensibilité a bien plus d'une source ; il ne vient pas seulement de l'*Héloïse* ; et bien d'autres courants sont venus le grossir.

C'est le drame d'abord, où Rousseau n'est pour rien,

qui vient de la comédie larmoyante de Nivelle de la
Chaussée, de la *Cénie* de Mme de Graffigny et de quelques
autres pièces, des drames anglais de Lillo et de Moore,
Le Joueur (traduit en 1762), *Le Marchand de Londres*
(traduit en 1748), et surtout de Diderot. Il y a dans ce
drame toutes sortes de nouveautés qui n'ont rien à voir
avec la sensibilité ; on y veut peindre les conditions
et non plus seulement les caractères et les mœurs ;
on y veut de la « pantomime » et des « tableaux »,
c'est-à-dire l'éloquence des attitudes et des gestes et
non plus des discours. On y met souvent du « sombre »
et du « noir », c'est-à-dire la « terreur » de la tragédie
à la mode de Crébillon agrémentée de quelques « convul-
sions » et de quelques horreurs inédites. Mais on y met
surtout de la « sensibilité », c'est-à-dire de ces émotions
qui ne sont ni le sourire de la comédie ni l'angoisse
de la tragédie. Il suffit que les situations soient « tou-
chantes », c'est-à-dire que les héros soient honnêtes,
tendres et malheureux, pour qu'on les juge vraies et
dramatiques. Une jeune lingère belle, laborieuse,
aimante et vertueuse est aimée d'un jeune gentilhomme
qui ne peut l'épouser sans désespérer sa famille ; un
jeune ouvrier intelligent, laborieux, honnête aime la
fille d'un commerçant riche qui la lui refuse ; un jeune
paysan, qui est soldat, qui est vertueux, qui est fiancé,
se trouve déserteur sans le vouloir ; il va être fusillé,
mais sa fiancée, une paysanne qui est belle et qui est
vertueuse, obtient sa grâce : voilà les sujets qui font
« couler de douces larmes », qui font les délices des
« âmes sensibles », c'est-à-dire de tout le monde. Et
lorsqu'on veut parodier les drames à la mode on intitule
sa parodie *Le Vidangeur*, pour qu'elle soit le tableau
d'une condition roturière, mais on ajoute *Le Vidangeur
sensible*, parce qu'il n'y a pas de drame sans la sensibilité.

C'est elle aussi qui doit faire le charme du conte moral

et du poème descriptif, sans parler des idylles et des élégies. Le conte moral est inventé, vers 1760, par un philosophe, par Marmontel. Et il y met abondamment tout ce qu'il tient pour de la philosophie : de la justice, de la tolérance, de la religion naturelle. Mais il y prodigue, de plus en plus, quand il s'aperçoit du succès, les cœurs tendres, les bons pères, les filles vertueuses, les fiancés héroïques, les amantes fidèles, les époux constants. La morale y est une morale d'innocence, d'attendrissements et d'honnêtes effusions. Deux douzaines d'imitateurs enseignent, à son exemple, en y ajoutant seulement du lyrisme, des métaphores et des points d'exclamation qu'on aime la vertu comme son chien, sa tourterelle ou sa tendre mère, pour sentir des « palpitations ». Et c'est cette morale qui doit donner au « poème descriptif » son « âme ». Le poème descriptif est la tentative imaginée dans la deuxième moitié du XVIIIᵉ siècle pour retrouver la poésie. Saint-Lambert et tous les autres ont compris, au moins jusqu'en 1789, qu'on ne pouvait pas « décrire pour décrire », que, si la poésie pouvait et devait être « une peinture », sa destinée n'était pas de peindre n'importe quoi. Elle décrit ce que l'on aime. Elle doit être, si l'on peut dire, une peinture de la sensibilité. Saint-Lambert est un philosophe fort sec, Delille un régent de collège très adroit à se pousser. Mais l'un et l'autre, tout comme Roucher qui a vraiment une âme de poète, suivent la mode. Et la mode est de s'attendrir, de verser de douces larmes sur les bons laboureurs, sur les accordées de village, sur les rosières, sur les seigneurs bienfaisants, sur les joies pures de la vie rustique, sur les jardins et les paysages romantiques, sur les bosquets de la mélancolie et les autels de la rêverie. La poésie naît des « troubles », des « douces effusions », voire des « tempêtes du cœur ». Les poètes descriptifs ont compris, en réalité, un des caractères de la poésie. Il ne leur a manqué que la sincérité ou le talent.

Ils l'ont si bien compris qu'ils ont été chercher la poésie où elle était. Ils ne la trouvaient pas, malgré leur bonne volonté et les admirations scolaires, ni dans Louis Racine, ni dans J.-B. Rousseau, ni dans *La Henriade*. Mais ils lisaient les poètes anglais. L'anglomanie n'était pas seulement celle des déjeuners à l'anglaise, de la liberté anglaise, de la philosophie anglaise ou des courses de chevaux. Elle était aussi l'engouement pour Gray, Hervey, Shakespeare et Ossian. Assurément, nous l'avons dit, quand on croyait être « tout anglais », on était encore un très sage Français. Toutes les traductions corrigent et adaptent, et beaucoup travestissent. Le Shakespeare de Ducis est une caricature et celui de Letourneur un déguisement. L'*Ossian* du même Letourneur a été mis à l'école du « goût » et des « bienséances ». Mais tout de même on aime Shakespeare parce qu'il donne « les grands ébranlements de l'âme », parce qu'il inspire « les émotions confuses et profondes », parce qu'il « soulève l'homme au-dessus de lui-même ». Ossian surtout fut une révélation. Malgré la timidité ou la gaucherie des traductions, il fut comme le maître de la brume, du mystère et du rêve. Il révéla des héros rudes, instinctifs et ardents, des décors qu'emplissent « l'âme de la solitude » et les « fantômes de l'imagination », les landes silencieuses, les bruyères hantées des brouillards et des spectres, l'Océan glauque et retentissant. Il a substitué au merveilleux mythologique, scolaire et mort, le merveilleux romantique et sincère de la légende.

De cette « poésie du cœur » et de l'« enthousiasme », on a d'ailleurs fait la théorie, ou plutôt on a affirmé, avec éloquence, que la vraie poésie était au-dessus des règles et des théories. Sur les ruines des anciennes

poétiques le « poète de génie » va où son génie le mène,
sans entraves. Ce sont les philosophes mêmes qui le
proclament, malgré leur confiance dans la raison.
« Le docte pédant n'a pas sitôt établi son système
poétique sur des principes prétendus invariables ; il
n'a pas sitôt ouvert toutes les sources du beau et prononcé la malédiction sur tous ceux qui oseraient en
chercher ailleurs, qu'un homme de génie paraît, fait
le contraire de ce que le critique a ordonné, et produit
un ouvrage immortel ». Grimm met quelque pédantisme
à faire ce procès du pédantisme. Mais son ami Diderot
s'est fait, à ses heures, du poète et de l'homme de génie
une image exaltée et vertigineuse. C'est sur le sommet
des monts, dans l'horreur sacrée des forêts, à la bouche
des antres sombres, au bruit des torrents sauvages
qu'un Dorval, un poète, cherche l'inspiration. Il lui
faut le vent dans sa chevelure, les grandes voix de la
solitude, la communion avec le mystère des choses
et l'immensité. Même la grande poésie ne peut naître
que d'un immense ébranlement non plus d'une âme,
mais de toutes les âmes. Il faut que quelque rude secousse
sociale, en rompant l'ordre, l'équilibre, la tradition,
ramène l'humanité à ces instincts farouches et pathétiques que seule la poésie peut traduire et qui seuls
créent de la poésie.

Vingt poètes, critiques, voire pédants ou régents de
collège ont, avec moins de lyrisme, parlé comme Diderot.
« Un génie éclairé de lumières profondes juge l'usage
avant que de s'y soumettre... Règles, préceptes, coutumes, rien ne l'arrête : rien ne ralentit la rapidité de
sa course qui, du premier essor, tend au sublime ».
Il est, si l'on préfère, une âme vertigineuse, semblable à
« un rocher dont la hauteur et l'escarpement effraient ;
sa cîme qui déborde de beaucoup ses fondements
paraît suspendue dans les airs... elle frappe, elle étonne,

son coup d'œil jette dans une sorte de saisissement
et d'effroi ». Ce n'est pas Rousseau qui parle ainsi,
ni même une « âme sensible », c'est un faiseur de traités,
c'est Séran de la Tour dans son *Art de sentir et de juger
en matière de goût*, en 1762. Quand on s'appelait Louis-
Sébastien Mercier ou Dorat-Cubières, qu'on se piquait
d'être au-dessus des « misérables préjugés » et des
« funestes conventions », on parlait avec plus de bruta-
lité. « Heureux le peuple neuf qui modifie à son gré
ses idées, ses sentiments et ses plaisirs ! Aimable et
libre élève de la nature, il se livre à l'effet et ne raisonne
point sur la cause. Son cœur n'attend pas l'examen
pour bondir de joie, la règle pour pleurer d'attendrisse-
ment, le goût pour admirer ». Car il n'y a plus qu'un
art, celui du cœur, et qu'une règle, celle de la sensibilité.

Chapitre III

LES IDÉES SOCIALES ET LA VIE

———

Le cœur et le sentiment devenaient donc le principe ou du moins un principe de la philosophie et de l'art. Il était inévitable qu'on y cherchât également une règle de vie sociale et de vie personnelle. La société ne devait pas être fondée sur la force. La raison raisonnante était impuissante — à elle seule — à l'organiser et la conduire, car on avait compris qu'il y fallait les leçons de l'observation et de l'expérience. Mais l'observation et l'expérience révélaient qu'il n'y a pas de société possible sans une sorte de croyance mystique ; les hommes n'obéissent pas seulement aux lois, ils ne respectent pas seulement l'ordre social parce qu'ils ont peur du gendarme ou du tyran qui les a domptés. Ils croient toujours, pour la plupart, que leur servitude même est dans l'ordre, qu'elle est conforme à une volonté supérieure et cachée. Dans les sociétés despotiques et même dans toutes les sociétés, c'est la religion, croyait-on jusque-là, qui fait connaître cette volonté. Si l'on supprime ou transforme cette religion, il faut donc la remplacer par quelque chose.

Cette discipline nouvelle, ce sera la morale sociale. Il n'y a pas, au XVIIe siècle, de morale sociale. La morale est faite pour chacun d'entre nous et elle n'intéresse que nous. Chacun est responsable de ses progrès ou de ses chutes morales, de son salut et non pas de ceux des autres. La charité même n'est pas faite, comme celle de don Juan, pour « l'amour de l'humanité », mais pour l'amour de Dieu ; elle n'a pas pour fin le bonheur d'autrui, mais notre perfectionnement intérieur. Il n'y a pas beaucoup plus de morale civique. On ne se dévoue pas à la nation ou à la patrie, mais à son prince. Le principe de la monarchie, comme le dit Montesquieu, c'est l'honneur. Et l'honneur est un échange de dévouement et de récompenses entre le souverain et ceux de ses sujets qui le servent et dont les pères ont servi ses pères. Le reste de la nation n'a droit qu'à l'obéissance. Les philosophes ne comprennent plus la charité et ne s'intéressent pas à cet « honneur » ; les âmes sensibles ne sont plus des âmes pieuses et ne sont pas des âmes aristocratiques ; la morale sociale prend donc la place de la charité et de l'honneur.

Son premier point est qu'il n'y a pas de bonne politique ni même d'ordre qui soit possible si l'État ne se préoccupe pas d'enseigner et pour ainsi dire d'organiser la morale. Paresseusement, il s'en remettait à des religions menteuses, à des prêtres cupides ; désormais c'est lui qui commandera aux prêtres et qui dirigera ce qu'ils enseignent. Rousseau, dans *Le Contrat social*, prévoit une religion d'État, choisie pour ainsi dire avant la conclusion du contrat, et qui devient, après elle, une obligation impérieuse, une des lois rigoureuses de la Cité. Mais Rousseau est genevois ; il se souvient que la ville de Calvin est gouvernée pour une large part par ses pasteurs. Les Encyclopédistes substituent à cette religion une morale d'État. D'Holbach écrit une *Politique naturelle*, mais il rédige aussi bien une *Éthocratie*, c'est-à-dire le plan d'une politique qui se fonde sur l'organisation des mœurs, l'enseignement des vertus

nécessaires à la prospérité de l'État. L'*Esprit* d'Helvétius consacre la plus grande partie de ses déductions
à montrer comment un gouvernement habile peut
former les esprits à la morale sociale, comment les
sociétés peuvent être ce que l'on veut qu'elles soient :
immorales et malheureuses, morales et heureuses, les
deux termes étant d'ailleurs à peu près synonymes.
Mably est encore plus formel : « N'est-il pas certain
que la politique doit nous faire aimer la vertu et que
c'est là le seul objet que doivent se proposer les législateurs, les lois et les magistrats ?... Le bon législateur
sera avant tout un moraliste ». Diderot n'a guère fait
de politique systématique. Mais il a parlé abondamment
de morale, et c'est toujours une·morale politique, une
morale qui tente d'organiser le bonheur du plus grand
nombre.

Le principe de cette morale sociale n'est plus :
« Aimez votre prochain comme vous-même pour l'amour
de Dieu », mais : « Aimez votre prochain comme vous-
même pour l'amour de vous-même ». Notre égoïsme est
directement intéressé au bonheur des autres ; toute société est ainsi faite que le bonheur de chacun est lié étroitement au plus grand bonheur général de la·société.
Si chacun ne songe qu'à soi, cet égoïsme amène inévi-
tablement la ruine de quelques-uns, puis de beaucoup,
puis de tous. Diderot, d'Holbach, Mably, Turgot,
Condorcet ont fait la démonstration à dix reprises.
Mais ce souci du bien d'autrui est tout autre chose
qu'un calcul d'intérêt, un raisonnement bien conduit.
Son efficacité serait d'ailleurs bien incertaine et la
morale sociale croulerait si elle n'avait que les démonstrations de la sagesse pour l'appuyer. Heureusement
elle tire sa force d'un instinct humain. Nous souffrons
du mal d'autrui ; nous sommes heureux qu'il soit
heureux ou du moins qu'il ne souffre plus. Rousseau

a insisté sur cette pitié instinctive. Diderot s'y confie comme lui ; et il croit aussi bien, plus même que Rousseau, à la joie de donner de la joie, au bonheur de contempler des visages heureux. Mably le célèbre comme eux. Et tous les autres y croient ou feignent d'y croire, Condorcet, L.-S. Mercier, Restif de la Bretonne, Delisle de Sales, Raynal, etc.

Nous disons de cette morale qu'elle est altruiste. On l'appelait au XVIIIe siècle *bienfaisance* et *humanité*. C'est l'abbé de Saint-Pierre qui crée le mot de bienfaisance. Et l'on est très fier après lui qu'il l'ait créé (ou plutôt recréé, car il est dans Balzac). « Certain législateur, dit Voltaire,

> « Vient de créer un mot qui manque à Vaugelas ;
> Ce mot est *bienfaisance* : il me plaît... ».

Il plaît tellement qu'on le met en dissertations et traités. « Tout le monde, dit Vaublanc, était économiste ; on ne s'entretenait que de philosophie, d'économie politique, surtout d'humanité, et des moyens de soulager le bon peuple ». On publie un *Discours sur les progrès de la bienfaisance*, des *Œuvres complètes de M. de Chamousset, contenant ses projets d'humanité, de bienfaisance et de patriotisme*. On met la bienfaisance et l'humanité en contes, fictions, romans et sur la scène. Tout le tableau de la vie de M. et Mme de Wolmar dans *La Nouvelle Héloïse* est le modèle d'une organisation où les châtelains assurent le bonheur de leurs serviteurs et de tout le pays et goûtent, pour récompense, la reconnaissance et l'amour. La moitié des contes moraux ou des drames de Marmontel, de Baculard d'Arnaud ou de Mercier, des *Épreuves du sentiment*, des *Délassements de l'homme sensible*, des *Songes philosophiques* sont des « traits d'humanité » et de bienfaisance. Et les tableaux « sensibles » de Greuze, *Le Bon père*, *L'Heureuse famille*,

L'Accordée de Village ne sont que l'illustration banale
de ce qui emplissait les romans, les poèmes et la scène.

On ne s'est pas contenté d'ailleurs de pratiquer la
bienfaisance et l'humanité en imagination. S'il y avait,
parmi les gens de peu, des heureuses familles et des
mères comblées, il y en avait assurément de misérables.
Les famines se renouvellent dans quelque partie de la
France à peu près chaque année et, dans certaines
villes ou campagnes, un quart des habitants, ou plus,
est réduit à la mendicité. On s'ingénie donc à trouver
des remèdes. Il y a toute une littérature sur le problème
de la mendicité où l'on rencontre un disciple de Rousseau, Seguier de Saint-Brisson, un économiste, l'abbé
Baudeau, un poète badin, Moncrif, et dix autres. L'Académie de Châlons propose un prix pour le meilleur
mémoire sur la question ; elle doit choisir parmi plus
de cent concurrents. Tout cela est encore de la littérature,
mais on essaie vraiment de la faire passer dans la vie.
Le seigneur bienfaisant, la mariée et la fête de village,
le « tableau de la reconnaissance » ne sont pas seulement
des personnages et des scènes d'opéra-comique ou de
roman sensible. On les rencontre dans la vie. C'est une
mode ou un « goût ». Il est élégant de visiter les femmes
en couches et de secourir les malades, comme d'allaiter
son enfant ou de porter des « poufs au sentiment ».
Comme toutes les modes celle-là est gâtée par des
mensonges et des comédies ; la sincérité et le cabotinage
s'y mêlent. C'est l'âge où l'on invente les rosières. Ou
plutôt l'intendant de Soissons, M. de Morfontaine,
découvre la cérémonie séculaire, pittoresque et atten-
drissante où l'on couronnait chaque année, à Salency,
dans l'Aisne, une fille chaste, laborieuse et pauvre. On
s'enthousiasma pour cet « aimable tableau » ; les poètes et
les romanciers le mirent en idylles et en contes. On en
découvrit d'autres. Et surtout on les imita. A travers

toute la France, de Suresnes à Romainville ou de
Briquebec à Monistrol, les couronnements de rosières se
multiplièrent et devinrent comme un accessoire de la vie
de château. A Canon, ce fut la « fête des bonnes gens »,
presque aussi célèbre que la rosière de Salency. On y
couronnait en grande pompe, par les soins du seigneur
du lieu, le bon père, la bonne mère, le bon fils. On y
venait de fort loin, et comme en pèlerinage.

Greuze, les opéras-comiques, le contraste des violences
révolutionnaires ont discrédité cette bienfaisance larmoyante et enrubannée du XVIIIᵉ siècle. Elle a été sincère pourtant, très souvent, et profondément. On a
vraiment découvert, même quand on était pieux, ce que
l'on pourrait appeler la charité laïque, celle qui n'est
pas faite par religion, par devoir, pour le mérite, mais
pour la joie d'obliger et pour goûter le bonheur des
autres. Et cette charité a été très souvent effective.
Déjà dans *La Nouvelle Héloïse* Rousseau ne cachait pas
aux Parisiennes qu'il les tenait pour débauchées, médiocrement jolies et esclaves de modes ridicules. Mais il
avouait qu'elles avaient du moins une vertu et une dis-
crétion ; elles quittent leur salon et leurs amants non
pour lire des romans ou écrire des lettres d'amour, mais
pour secourir des pauvres, obliger les gens dans la peine,
défendre les paysans de leur village. Presque tous les
journaux, le *Mercure*, l'*Année littéraire*, le *Journal de
Paris* ouvrent une rubrique où ils content des « traits
d'humanité » ou de bienfaisance ou d'héroïsme. Sans
doute c'est leur donner de la publicité ; et il n'est pas
toujours sûr qu'ils ne soient pas imaginaires. Mais on
ne recueillait pas toujours des orphelins, on ne payait
les impôts du voisin, on ne partageait pas ses mou-
tons pour être mis dans le *Mercure*. Un *Tableau de
l'humanité et de la bienfaisance* ou *Précis historique des
charités qui se font dans Paris* (1769) n'est pas seule-

ment, comme le disent les *Affiches de province*, « intéressant pour les cœurs sensibles » ; il l'est aussi pour les historiens et témoigne d'une volonté ingénieuse et sincère pour être utilement secourable et humain. Nous connaissons bien d'ailleurs l'existence, sinon de bourgeois bienfaisants qui n'ont pas laissé d'historiographes et qu'on entrevoit seulement dans les lettres des correspondants de Rousseau, mais celle de quelques grands seigneurs, comme le duc de Penthièvre ou le duc de La Rochefoucauld-Liancourt, qui ont vraiment donné pour règle à leur vie des devoirs sociaux et non pas des devoirs mondains. La « morale sensible » a été autre chose qu'un thème littéraire ; elle s'est traduite en actes et en progrès.

La Vie. — C'est d'ailleurs la marque de cette sensibilité que d'avoir agi profondément sur la vie et d'avoir transformé des habitudes pratiques tout autant que des idées. Il est assez difficile souvent de suivre les actions et réactions de la littérature et des mœurs ; les idées se transforment en idées dont nous ne retrouvons guère la trace que chez des gens de métier, des écrivains ; nous ne savons pas toujours comment elles se sont répandues. Mais la sensibilité du XVIII° siècle a vraiment formé ces réalités de la vie qui sont des preuves directes des opinions.

C'est ainsi qu'elle a transformé ces goûts de repos et de loisir où se trahissent si clairement les besoins profonds des hommes. Dans les nécessités de la vie quotidienne, c'est la vie qui nous contraint ; dans le repos nous essayons de la façonner à notre image. Or, cette image a bien nettement cessé, au XVIII° siècle, d'être seulement raisonneuse et mondaine.

On aime d'abord, beaucoup plus sincèrement, la campagne et la vie rustique. On se reposait à la campagne au

xvii⁰ siècle. Boileau avait sa petite maison d'Auteuil.
Mais il n'y cherchait, comme les autres, que la tranquillité. Quand on avait un château, on retournait y vivre
tous les ans, quelques semaines ou quelques mois. Mais
c'était bien rarement, comme Mme de Sévigné, pour
y goûter le silence de ses belles futaies. C'était par tradition, parce qu'on était le seigneur du lieu, et pour y
recréer une vie mondaine. Au contraire au xviii⁰ siècle,
les « maisons des champs » se multiplient, et non pas
seulement les riches demeures des financiers, mais les
« ermitages », les « logis », les « bastides ». Ce n'est pas
seulement sur les coteaux qui environnent Paris qu'on
les voit s'élever, mais à travers toute la France, aux environs de toutes les grandes villes, sur les bords de toutes
les rivières. Partout les mémoires, journaux, itinéraires,
récits de voyageurs s'émerveillent d'en voir dix là où
il n'y en avait point. Sans doute ceux qui les font construire n'y lisent pas tous *La Nouvelle Héloïse* ou Ossian ;
ils n'y vont peut-être que pour prendre le frais ou pour
pêcher. Mais il nous arrive aussi de connaître les plaisirs
qu'ils y cherchent ; et ce sont très précisément, même
s'ils ne sont que de petits bourgeois, les plaisirs des
âmes sensibles. On veut y rêver, « écouter parler son
cœur », regarder le clair de lune, goûter les « mélancolies de l'automne ». On est sensible à la poésie des loin
tains et à celle des bois « solitaires ». On se promène
d'ailleurs, hors de sa maison des champs ; et l'on peut
suivre les bandes joyeuses ou ceux qui s'en vont seuls à
Suresnes, Meudon, Romainville, Montmorency, sur les
bords de la Marne, de la Loire, du Rhône et de cent
fleuves, rivières ou ruisseaux. On n'y cherche fort souvent que le grand air, le rire et l'appétit. Mais Manon
Phlipon y trouvait autre chose ; elle y rencontrait le
rêve, la solitude, des émois du cœur. Et cette toute
petite bourgeoise est l'image de beaucoup d'autres qui

sont, tout autant que Jean-Jacques, des « promeneurs
solitaires », qui veulent s'égarer dans les « sentiers
tourneurs », dans les « bois sombres » et les « vallons
déserts ». La promenade n'est plus simplement une joie
du corps et le plaisir de changer d'horizons ; elle devient
une humble ou frémissante poésie.

Tout cela se précise d'ailleurs dans deux goûts nouveaux et qui suffiraient à eux seuls pour démontrer que
l'atmosphère de la vie s'est transformée : le goût des
jardins anglais et celui de la montagne. On aimait les
jardins en France, comme ailleurs, depuis toujours.
Mais les jardins de la Renaissance ne sont guère qu'une
tapisserie de fleurs sur laquelle se posent des statues,
des vases et les candélabres d'arbustes taillés. Le Nôtre
et les jardins de Versailles donnent à ces tapisseries
l'ampleur et la majesté des grands arbres, des larges
miroirs d'eau, des vastes boulingrins. Mais c'est encore
une nature raisonnable et ordonnée. C'est une architecture de verdures et de bassins qui encadre et prolonge
celle d'un palais ou d'un château. C'est l'homme qui y
domine la nature et la plie à son art réfléchi. La poésie
y est une poésie réglée. Dans la deuxième moitié du
XVIII° siècle, au contraire, on est, très souvent, fatigué
de la règle et on se défie de la raison. L'ordre du jardin
français semble une trahison et un ennui. Et vers 1750
on découvre le jardin chinois et le jardin anglais. Ces
jardins-là que révèlent un missionnaire, la traduction
d'un livre anglais de Chambers, puis des voyageurs,
architectes et jardiniers français se proposent non plus
d'assagir la nature, mais de la copier. Dans la nature
tout est caprice, hasard, fantaisie ; dans la nature il n'y
a pas de ligne droite ni de choix ; dans la nature il n'y a
pas de ciseaux, ni de râteaux. Et c'est pour cela qu'elle
est attirante et belle, parce qu'elle nous rend la liberté,
nous délivre des contraintes et des sagesses étroites. Les

jardins anglais respecteront donc les libertés de la nature,
et les imiteront. Les allées iront au hasard ; les arbres
pousseront « comme il plaît à Dieu » ; les eaux seront
« capricieuses » et « bondissantes », les pentes seront
abruptes. Même si le ruisseau se traîne on lui creusera
des cascades ; si la colline descend en pente douce, on la
taillera en falaise ; si le jardin est en plaine on y entassera,
à grand renfort de tombereaux, une montagne. L'art
au lieu d'ordonner la nature la contraindra au désordre
et au tumulte.

On aboutit ainsi au jardin qui n'est plus seulement
anglais, mais qui est exactement romantique. Le mot
aussi est anglais ; et on l'écrit souvent *romantic*. Et c'est
aux jardins seulement qu'on l'applique tout d'abord.
Mais il exprime bien tout ce que les romantiques cher-
cheront dans la nature, tout ce dont ils feront le miroir
de leur âme. Le jardin romantique d'un marquis de
Girardin est en réalité un vaste canton où rien ne
manque de ce qui donne à la nature le prestige des
« émotions fortes », des « émotions rêveuses » et des
« émotions tendres ». Il est fait pour susciter les
enthousiasmes, les délires, les songeries et les attendrissements. Il a des gorges, des cascades, des forêts
tourmentées et séculaires, des déserts farouches et puis
des vallons riants, des eaux paisibles, des troupeaux
qui paissent. Il est un monde non pas de pensées, mais
de sensations. Ce jardin romantique devint très vite une
mode et une fureur. Rousseau en avait donné, dans
l'Élysée de sa Julie de Wolmar, un exemple discret, plus
champêtre et romanesque que vraiment romantique.
On avait rêvé mieux avant *La Nouvelle Héloïse* et l'on
fit mieux. Il y a d'illustres jardins romantiques, celui
du duc d'Orléans à Monceaux que dessine Carmontelle
et dont il reste encore les fausses ruines de la naumachie ;
celui du comte d'Artois à Bagatelle, où il subsiste une

fausse ruine, une fausse colline et une fausse cascade ;
celui du peintre Watelet au Moulin-Joli dont les visiteurs goûtent les saules penchés sur l'eau et toutes ces
délicatesses d'impressions faites pour « l'âme des femmes » ; celui surtout d'Ermenonville qui deviendra le
dernier asile de Rousseau, où il y a un « désert » qui est
vraiment une sorte de désert, des solitudes dans une
forêt abrupte, une île dans un étang mélancolique, et
puis un autel de la rêverie, un temple — inachevé —
de la philosophie, des inscriptions sur les rochers, et
bientôt le tombeau symbolique de Rousseau.

Rousseau n'était à peu près pour rien dans la découverte et le progrès de ces jardins. Mais il a révélé un
aspect de la nature romantique, celui de la montagne.
Avant 1750, personne ne parle de la montagne, sinon
pour la redouter. C'est un pays de loups-garous, et c'est
elle, disent les voyageurs, qui gâte les paysages et les
agréments de Lausanne ou de Neuchâtel. Les Suisses
n'étaient pas tous de cet avis. Haller chantait *Les Alpes*
et en vantait les paysages comme les habitants. Son
poème fut traduit et lu en France (1750). Mais c'est bien
La Nouvelle Héloïse qui fit brusquement de la Suisse et
des montagnes suisses un pays à la mode. Tout le roman
se déroule sur les bords du lac de Genève, au pied des
cîmes et devant elles ; les scènes les plus pathétiques
sont aux rochers sauvages de Meillerie. Saint-Preux
visite les hautes vallées du Valais et les chalets qui
s'accrochent aux flancs des monts. La célébrité du
roman fit la célébrité du décor. Les voyageurs se préci-
pitent sur les traces de Julie, de Saint-Preux et sur
celles de Rousseau. C'est lui d'abord qu'on cherche ou
les personnages de son roman. On visite Genève, Lausanne, Clarens, Vevey, Yverdon, Motiers-Travers et le
Valais. On y interroge ceux qui ont connu Jean-Jacques. On y laisse des inscriptions. **Puis on vient** en

Suisse pour la Suisse, pour la grâce de ses prairies pen-
chantes, le miroir de ses lacs, la bonhomie de ses chalets ; pour ses « émotions fortes » comme pour ses émotions tendres, l'immensité des horizons, la majesté des
cimes, les vastes silences, les profondeurs vertigineuses
des abîmes. On rencontre à Genève, à Neuchâtel, à
Lausanne, des écrivains, des gens du monde et des
gens à la mode. Car il est déjà de bon ton de passer
quelques mois dans le pays de Vaud ; les élégantes et
les « beaux » s'y donnent rendez-vous. On y cherche
vainement des logis ; et quand on en trouve ils sont fort
coûteux ; la Suisse devient le « pays des amants », des
jeunes mariés et des « âmes inconsolables ».

On y dépasse d'ailleurs Rousseau qui n'a pas décrit
la montagne des neiges éternelles et des solitudes
glacées. Il n'a parlé que de la montagne verte, du haut
Valais. On s'est souvenu de ce qu'il en disait dans une
jolie page de *La Nouvelle Héloïse*, mais on est monté bien
plus haut. On a lu les livres où les Suisses de Luc, Bourrit,
Saussure contaient leurs tentatives pour escalader les
cimes les plus farouches et la griserie de leurs escalades.
Les notes que Ramond mit à une traduction d'un voyage
de Coxe (1781) achevèrent de conquérir les âmes sensibles et celles qui feignaient de l'être. Les curieux se
pressent au Saint-Gothard, à Grindelwald, au glacier du
Rhône. Et l'on y cherche très précisément les méditations exaltées, les vastes essors de l'âme qu'y goûteront
les romantiques. La montagne a fait du médiocre Mercier, installé à Neuchâtel, un vrai poète. Elle a donné
aux notes de Ramond le rythme de la poésie et comme
un frémissement de génie : « Profondeur, ténèbres
majestueuses, j'aime à vous contempler. A côté de mon
séjour, sur la pente du Jura, est un torrent qui coule
avec une affreuse impétuosité ; il roule dans l'ombre
noire d'une forêt d'antiques sapins... et la réflexion court

se perdre avec les heures dans l'abîme des choses éternelles ». — « Tout concourt à rendre les méditations
plus profondes, à leur donner cette teinte sombre, ce
caractère sublime qu'elles acquièrent quand l'âme, prenant cet essor qui la rend contemporaine de tous les siècles et coexistante avec tous les êtres, plane sur l'abîme
du temps ».

Il est donc très certain qu'on commence réellement,
avant la Révolution, à vivre et parfois à mourir de sentiment. Et non pas, sans le vouloir, par la force invincible
du caractère, comme il s'est toujours trouvé ; mais avec
complaisance, avec ivresse, même dans la souffrance ou
le suicide. C'est avant la Révolution que vivent ou commencent à vivre Bernardin de Saint-Pierre, Benjamin
Constant, Sénancour. Écrivains sans doute, mais chez
qui le goût inquiet des aventures n'est pas une attitude
littéraire. Ils se cherchent, se fuient, à la poursuite
d'émotions neuves, de pays en pays, d'horizon en horizon. Le mal d'inquiétude qui les ronge est bien une plaie
rebelle et non pas un prétexte à déclamations : « Triste
jouet de la tempête j'ai volé d'erreur en erreur... j'ai
payé quelques jours de fête par des mois entiers de malheur... je m'ennuyais en jouissant et je rentrais toujours
triste ». C'est Benjamin Constant qui parle, et puis
Sénancour, mais leurs accents se confondent. Ils ont
prouvé d'ailleurs, par les calamités de leur vie, qu'ils
croyaient à leur littérature. Il leur est même arrivé d'en
mourir : « Le malheureux ! dit Campenon de son ami
Léonard ; il avait épuisé la coupe du sentiment... son
cœur était déjà mort ; et sa vague inquiétude, croissant
de jour en jour, devint le trop assuré présage de sa fin
prochaine ».

Les gens de lettres ne sont pas les seuls d'ailleurs à
avoir pris comme guide de leur vie le sentiment, même
s'il les guidait vers la souffrance et le désespoir. « Vous

êtes, dit Ducis à Deleyre, un incurable mélancolique »
et il lui choisit un ermitage « près des bois, dans le voisi-
nage de ces larges étangs où les vents semblent soulever
des tempêtes... au bord d'un vallon tortueux qui se
prolonge dans un site lugubre ». Si Deleyre est encore
une façon d'homme de lettres, nous en entrevoyons
d'autres qui ne le sont à peu près pas. Un comte de
Montlosier s'est retiré dans ses montagnes d'Auvergne
pour y vivre, avant Lamartine, *L'Isolement* et *Le Vallon*,
pour s'asseoir au crépuscule, sur la montagne, et contempler dans le lointain le château où vécut son amie, le
clocher qui domine son tombeau. Fonvielle s'enfuit tout
jeune du collège, passe par vingt métiers, s'engoue
fiévreusement et se dégoûte sans cause, fait quatorze
lieues à pied, la nuit, pour délirer aux pieds d'une maîtresse platonique qu'il oublie un mois plus tard ; Mme de
Chastenay vit sa vie de jeune fille un peu comme la sœur,
demi-folle, de Chateaubriand : « J'étais dans le délire...
tout s'exaltait en moi... je lisais au lieu de dormir ».
Mme de Cavaignac a une sœur qui erre à travers les
jardins « tantôt lisant à haute voix et fondant en larmes
ou riant aux éclats... une baguette blanche à la main,
ses longs et noirs cheveux volant au vent, elle récitait
tout le rôle d'Armide ». Le futur général baron Thiébault ne songeait guère à conduire les régiments à la
bataille : « les morceaux tristes et touchants, et en
général les mineurs, faisaient vibrer tous mes nerfs par
leur analogie avec une mélancolie qui a formé l'état
habituel de mon âme ». Cette mélancolie menait à l'occasion jusqu'à l'angoisse romantique. Une amie de
Brissot, dans la paix bourgeoise de la ville de Chartres,
« fatiguée du monde, de la bassesse des autres, du despotisme qui régnait partout... trancha ses jours à l'âge
de dix-sept ans ». Un inconnu vint se tuer d'un coup de
pistolet, en face du tombeau de Rousseau, à Ermenon-

ville, en laissant des adieux qui sont comme le programme du romantisme : « Je n'étais d'aucun pays ; toutes les nations m'étaient indifférentes... ne refusez pas une sépulture, aux lieux que je vous demande, au malheureux rêveur mélancolique... Ah ! qu'il est malheureux l'homme sensible... C'est l'amour malheureux, la mélancolie, le goût des rêveries, ma sensibilité qui m'ont perdu. C'est un état trop actif pour l'homme ; il ne résiste pas longtemps ».

CINQUIÈME PARTIE

LA DIFFUSION DE L'ESPRIT NOUVEAU

—

CHAPITRE PREMIER

LES RÉSISTANCES DE L'OPINION

———

Faire l'histoire de la pensée d'un siècle, ce n'est pas ou cela ne devrait pas être seulement faire l'histoire de ses hommes de génie, ni même de ses hommes de lettres, ni même de ceux qui prétendent penser. Nous ne sommes jamais sûrs de comprendre les hommes de génie comme ils ont voulu qu'on les comprenne, et nous sommes sûrs de ne pas les comprendre comme les contemporains les ont compris. Surtout dès qu'on cesse de s'enfermer dans la pensée ou l'art pur, dès qu'on descend de l'idée ou de l'émotion esthétique à la vie réelle, à l'histoire, ce qu'il importe de connaître, pour comprendre cette histoire, c'est ce qui est passé de la spéculation ou de l'émotion de quelques-uns dans la vie de tous ou de beaucoup, c'est la

diffusion des idées nouvelles. L'histoire de cette diffusion est, pour le XVIIIᵉ siècle, particulièrement complexe.
Nous en donnons ici les grandes lignes (1).

Il y a eu sur bien des points, à travers tout le
XVIIIᵉ siècle, des résistances tenaces. Ni l'esprit philosophique, ni le goût du sentiment n'ont conquis ou remué
d'un seul coup une France bouleversée et dressée contre
ses traditions. Il y a d'abord la tradition mondaine qui
a agi puissamment sur les mœurs comme sur la littérature. Pour les mondains, c'est-à-dire pour presque tous
ceux qui sont « nés » ou qui sont riches, la philosophie
ou le sentiment ne sont qu'une mode parmi d'autres
modes ; il s'agit simplement de se distraire et de penser
ou de sembler penser comme les autres. Et l'on s'attache
à bien d'autres distractions. La fameuse « douceur de
vivre » n'est pas celle de penser et d'écrire librement ou
de suivre les « mouvements de son cœur ». Elle est celle
des fêtes de toutes sortes que les châtelains s'ingénient
à renouveler et qu'organisent des sortes d'amuseurs à
gages, Moncrif, Collé, Carmontelle. C'est le bal de
l'Opéra, qui est illustre, où Louis XV et Marie-Antoi-
nette se risquent ; ce sont les « ténèbres » à l'abbaye de
Longchamp ; ce sont les promenades où les grandes
dames et les courtisanes comparent leurs carrosses et
leurs colliers, le Cours la Reine, les Tuileries, les Boule-
vards ; ce sont les lieux de bavardage et de plaisir, le
Palais Royal, le Ranelagh, le Vauxhall, les foires ; ce
sont les soupers où certains tiennent à peu près table
ouverte et convient tous ceux qui savent amuser.

Ce sont surtout les modes qui se succèdent, s'imposent
et s'évanouissent dans une sorte de tourbillon, les
talons hauts ou les talons bas, les perruques monstrueu-
ses des dames ou leurs paniers démesurés, la vogue

---

(1) Elle est développée dans *Les origines intellectuelles de la Révolution
française (1715-1787)*, Paris, Armand Colin, 1933 (5ᵉ éd., 1954).

du « parfilage » ou celle des pantins, le rhinocéros
ou l'éléphant, les sociétés joyeuses de la Calotte ou des
Lanturlus. Ce sont surtout ces engouements de la fin
du siècle où survit et s'exaspère le passé le moins
raisonnable et l'esprit le moins philosophique. Dans ce
« siècle de la raison » et parmi le mépris de tant de
préjugés, on n'a jamais cessé d'être superstitieux avec
délices. Les livres de magie, de sorcellerie et d'alchimie,
les secrets pour évoquer le diable et commander à la
nature sont encore nombreux. Il y a bien des gens pour
croire, comme le M. d'Astarac de *La Rôtisserie de la
Reine Pédauque*, aux Ondines et aux Salamandres. On
édite ou réédite *Le Grand* ou *Le Petit Albert* et dix autres
traités cabalistiques, jusqu'à la fin du siècle. Et toute
cette diablerie, un peu désuète malgré tout, devient
soudain illustre avec les jongleries et les mystères du
comte de Saint-Germain, de Cagliostro, de Saint-Martin
et de Mesmer. Des bateleurs comme Saint-Germain et
Cagliostro font croire souvent aux plus graves qu'ils
commandent aux puissances de la vie et de la mort
et qu'ils sont eux-mêmes éternels. Le baquet de Mesmer
n'a pas moins de disciples que la philosophie de Voltaire
et celle de Jean-Jacques Rousseau. La fin du siècle voit
s'épanouir la crédulité et l'illuminisme tout autant que
l'esprit critique ou la religion du bon sens et celle du cœur.

Quand on s'éloigne de Paris et qu'on s'informe de la
noblesse provinciale ; quand on quitte le grand monde
et qu'on va chez les médiocres ou petits bourgeois, on
n'y trouve ni *Le Grand Albert* ni Cagliostro ou Mesmer.
Mais on y voit durer fortement toutes les croyances et
les traditions du passé. Au château des Talleyrand en
Périgord, à celui des Montbarey en Auvergne, dans les
salons aristocratiques de Poitiers, on s'amuse à danser,
à souper et à jouer, comme depuis toujours ; ou bien
l'on vit avec gravité et l'on n'a de curiosité ni pour

Voltaire ni pour Rousseau. Il y a par centaines des châteaux et des salons qui leur ressemblent, où l'on aime, sans raisonner, son roi, son curé, son église. On les aime plus fortement encore dans la bourgeoisie. Les grandes distractions, et pour ainsi dire les seules, ce sont les processions où toute la ville se rassemble, ce sont les entrées de gouverneurs, les passages de princes, d'évêques, et parfois du roi. Nous connaissons assez bien cette moyenne et petite bourgeoisie. Sans parler des autres documents, dans une centaine de mémoires, journaux, livres de raison, des avocats, notaires, commerçants, voire fermiers ont noté les événements et parfois les impressions essentielles de leur vie. Ils ne font jamais ou presque de politique. Il n'y a guère d'exception que pour le renvoi par Louis XV des Parlements qui touche aux privilèges locaux et qui parfois les émeut. Parmi toutes les misères ou les heureuses fortunes qu'ils relatent, il n'est presque jamais question des « abus », des « privilèges », des « libertés nécessaires ». Un Malebaysse note que pour voir l'éléphant il faut payer vingt-quatre sous aux premières et douze aux deuxièmes ; et il lui faut trois fois moins de mots, sans un seul commentaire, pour la mort de Louis XV. Un Leprince d'Ardenay au Mans, un Cavillier à Boulogne, un professeur de l'Université de Dijon sont des gens instruits et même curieux. Ils lisent, s'assemblent, discutent. Ils ne disent pas un mot de Voltaire, de Rousseau, de Diderot, de l'*Encyclopédie*, des querelles politiques et religieuses. Seguin, avocat au parlement de Lyon, raconte gravement que le cardinal de Tencin a eu un commerce incestueux avec sa sœur, et qu'il en a eu un fils « appelé le sieur d'Ardinberg ». C'est tout ce qu'il sait du directeur de l'*Encyclopédie*. Et la plupart en savent encore moins.

Dans ces âmes fidèles au passé, la religion, une religion

stricte et confiante, tient évidemment une place essentielle. L'incrédulité fait des progrès sournois, puis rapides, que nous suivrons. Mais elle n'est longtemps qu'une menace. Même dans la haute noblesse il y a des piétés ferventes et des âmes mystiques, le marquis de Castellane, la princesse de Montbarey, le duc de Croy, le duc de Penthièvre et vingt autres. En province la religion a souvent gardé son influence profonde. Montgaillard se plaint de n'avoir trouvé dans les châteaux du Lauraguais que des catéchismes. Le comte d'Allonville est persuadé que Voltaire vit des diables avant de mourir. Les bourgeois ne se piquent pas de penser plus philosophiquement que leurs seigneurs. Un très grand nombre de familles suivent leur religion avec une scrupuleuse piété, celle de Mme Vigée le Brun, celle de Frenilly, celle de Carnot, celle de Joubert, etc. François Gilbert fait régulièrement son examen de conscience. Gauthier de Brécy déteste les « philosophes impies ». Tamisier, ancien quincaillier, n'est pas un ignorant. Il achète des livres, mais ce sont des livres contre les philosophes ; il fait partie de six confréries pieuses. Duminy occupe ses loisirs à transcrire trente-trois noëls, la vie de Sainte-Marie l'Égyptienne et celle du bienheureux Père dom Robert Mauvielle. Les contemporains qui traversent ces milieux provinciaux constatent, à l'ordinaire, que l'esprit nouveau n'y a pas soufflé. A Autun, on va régulièrement à la messe, aux vêpres, aux processions. A Doué, près d'Angers, tout le monde assiste non seulement à la messe, mais aux vêpres. Il en est de même à Valence, dans toute la Provence. A la veille de la Révolution c'est encore par le nombre des communiants qu'on compte les habitants d'une paroisse.

Ce n'est pas seulement la piété qui reste ce qu'elle était, c'est toute la vie. Jusqu'à la fin du XVIIIe siècle, on vit très souvent comme avaient vécu les aïeux,

d'une vie humble, réglée, sans ambitions, sans curiosité.
Même dans les familles aisées on prend ses repas dans
la cuisine ; les robes et habits de noces se transmettent
de génération en génération ; l'usage défend aux femmes
de notaires, chirurgiens, marchands de porter des fontan-
ges ou falbalas de couleurs vives. Les plaisirs sont des
goûters dans les jardins, et, en hiver, parfois, au cabaret.
On travaille dans la cuisine. « Deux feux dans une maison
bourgeoise, dit le Troyen Grosley, étaient alors un luxe
inconnu ». A Autun, les femmes filent la laine et font
tous les ans une pièce d'étoffe pour habiller le père,
la mère, les enfants, quand les enfants ne portent pas,
vaguement ajustés, les vieux habits des parents. Partout on retrouve « le train du bon vieux temps ».

Jusqu'à la Révolution, dans la masse des classes
moyennes, les traditions gardent donc des forces.
Et pourtant ce n'est déjà plus toutes leurs forces.
Même en province, même chez de petites gens, on sent
que, peu à peu, des mœurs nouvelles ruinent les mœurs
anciennes. Des salons riches aux « salles » des petits
bourgeois, de Paris à la plus lointaine province se
répand le goût du luxe, du divertissement, du jeu,
de la comédie. A Troyes, c'est « une révolution » dans
les mœurs publiques. A Autun, depuis la tenue des
États de Bourgogne en 1763, c'est « une rage de luxe ».
A Saint-Antonin, à Grasse, on continue les « veillées »
où l'on trie le marc de raisin ; mais on commence à y
joindre les bals et un jeu coûteux. Partout on s'évertue
à organiser des bals, des concerts, des théâtres de société.
A Thouars, il y a « une ignorance parfaite de l'histoire et
de la littérature ». Mais non pas du bel air, car on y trouve
des concerts, des soirées dansantes et même du « persi-
flage ». Les bourgeois commencent à croire qu'ils « ont de
l'esprit ». C'était le chemin pour aller à la « philosophie ».

CHAPITRE II

LA LUTTE CONTRE L'AUTORITÉ

―――

NOTICE HISTORIQUE : Beaumarchais est né à Paris en 1732. Fils d'un horloger, il abandonna bientôt l'horlogerie pour courir les aventures. Il donne des leçons de harpe aux filles de Louis XV, s'occupe des affaires financières de Pâris-Duverney, débrouille ou embrouille en Espagne des affaires diplomatiques, commerciales ou de famille. Il a de graves procès auxquels il a l'art d'intéresser l'opinion publique, notamment contre le comte de la Blache, héritier de Pâris-Duverney et contre l'un des juges qui le condamnent dans le procès La Blache. Ses Mémoires contre Goëzman, infiniment spirituels, divertissent tout Paris. Puis il s'occupe, pour le compte de la cour, de poursuivre et d'acheter les auteurs de libelles contre la famille royale qui travaillaient à l'étranger ; il monte une compagnie pour fournir des armes aux Américains, etc... Il fait jouer le *Barbier de Séville* en 1775 et, en 1784, le *Mariage de Figaro,* dont nous résumons plus loin la carrière. Suspect et exilé pendant la Révolution, il rentre en France en 1796, et meurt en 1799.

Ce chemin était d'ailleurs malaisé. Les philosophes pouvaient penser en sceptiques et en impies ; mais il leur était fort difficile de faire connaître leurs scepticismes et leurs impiétés. L'autorité politique et l'Église étaient alliées et elles disposaient d'armes redoutables. Aucun livre, aucun journal, aucun imprimé ne pouvaient

paraître sans une autorisation, sans le permis d'imprimer des censeurs. Contre les auteurs, imprimeurs,
colporteurs de livres non pas même interdits, mais
non autorisés, les pénalités étaient féroces. Un édit du
roi d'avril 1757 renouvelle expressément l'ancien châti-
ment, qui est la peine de mort pour les auteurs ou les
imprimeurs. Des édits de 1764, 1767, 1785 font interdiction de rien publier sur les finances, les questions
religieuses, la législation, la jurisprudence, et, comme
le dit Figaro, sur « personne qui tienne à quelque chose ».
Les pénalités contre les blasphémateurs et les propos
impies, qui vont jusqu'à la mutilation et à la mort,
viennent renforcer les lois sur la librairie. Assurément
ces textes n'ont jamais été strictement appliqués.
Mais tout de même, pendant presque tout le siècle,
des blasphémateurs sont envoyés aux galères pour la
vie, des sacrilèges ont le poing coupé et sont brûlés
vifs ; le chevalier de la Barre a le poing et la tête tran-
chés. En 1768, un colporteur est condamné à cinq ans
de galères et sa femme est enfermée à vie pour avoir
vendu *Le Christianisme dévoilé* et *L'Homme aux quarante
écus*. Ni d'Holbach qui écrivit l'un, ni Voltaire qui rédi-
gea l'autre ne risquaient sans doute les galères ou la
prison perpétuelle ; mais ils risquaient la Bastille ou
Vincennes, et si l'on n'y pourrissait pas sur la paille
humide le séjour y manquait d'agrément. Diderot,
Voltaire, d'Alembert, Helvétius en ont grand'peur.
Voltaire, Diderot, Morellet, Marmontel y vont et ne
désirent pas y retourner. Il y a réellement péril grave à
être trop hardiment philosophe.

L'autorité agit d'ailleurs effectivement contre les
philosophes ou du moins elle tenta d'agir. Jusqu'en
1748, on s'inquiète assez peu des « beaux esprits ».
On condamne quelques livres, dont les *Lettres philosophiques* de Voltaire ; il y a quelques descentes de

police chez les imprimeurs, quelques saisies, quelques emprisonnements. Mais on tient en somme ces folliculaires pour méprisables ; et la police est surtout occupée à traquer les imprimeries, livres, pamphlets et journaux jansénistes. C'est vers 1750, seulement, que le gouvernement et l'Église s'avisent que les philosophes sont une « secte » et un « parti » et que leurs desseins sont redoutables. Les *Pensées philosophiques* de Diderot sont condamnées (1746) par le Parlement ; leur philosophie use d'ailleurs de subterfuges ; et Diderot n'est qu'un homme de rien que surveillent son curé et son commissaire. *Les Mœurs* de Toussaint firent un scandale plus grave ; car Toussaint est un avocat connu, un homme en place. Et la doctrine en est ouvertement laïque et impie. Toussaint y démontre que la religion est sans doute fort respectable, mais que ni la morale ni la société n'ont besoin de la religion. On peut être un très honnête homme et l'on peut gouverner fort bien sans s'inquiéter de la révélation et du catéchisme. Le livre fut condamné et Toussaint dut s'exiler (1748). Mais les scandales se multipliaient. *L'Esprit des Lois* de Montesquieu étudiait les gouvernements sans faire à la religion révélée la moindre place et sans témoigner à la monarchie de droit divin le respect qui convenait. Un nommé Méhégan publiait une histoire de *Zoroastre* (1751) qui n'était qu'une insolente dérision du christianisme et une apologie de la religion naturelle. Sous prétexte d'étudier les aveugles dans une *Lettre sur les aveugles*, Diderot témoignait la plus vive sympathie pour l'athéisme de l'aveugle Saunderson. Buffon publiait, avec un succès retentissant, les trois premiers volumes de son *Histoire naturelle*. Ils comprenaient une Histoire de la terre qui, disaient déjà les contemporains, « contredit la Genèse en tout ». Il n'était pas facile de sévir contre le président de Montesquieu qui n'avait

guère d'autre tort que de passer la religion sous silence.
Il n'était pas très commode de condamner M. de Buffon,
homme considérable dans sa province ; mais, du moins,
on le censura et il dut publier une déclaration très
humble où il se soumettait à la sagesse de la Sorbonne
et à l'histoire du monde selon la Genèse. Méhégan et
Diderot, gens de rien ou de peu, furent mis, pour l'exemple, à la Bastille et à Vincennes. Et tout le monde
parut content.

Mais les philosophes ne se déclaraient ni convaincus
ni vaincus. Et ils commençaient à dresser contre
l'autorité et la tradition une machine de guerre dont
on n'avait pas soupçonné tout d'abord les apparences
pacifiques. En 1751, paraissait le premier volume
de l'*Encyclopédie*. Ce n'était qu'un Dictionnaire des
sciences ; et de ces dictionnaires, il avait paru jusque-là,
plus modestement, une douzaine ; l'entreprise était à
la mode. Sans doute, c'était un dictionnaire « raisonné »,
mais on se flattait de pouvoir mettre d'accord la foi et
la raison. Sans doute les chefs de l'entreprise étaient
deux philosophes, d'Alembert et Diderot. Mais ils se
sauraient surveillés ; ils se conduiraient sagement.
Les éditeurs obtinrent donc autorisation et privilège.
Dès les premiers volumes pourtant il fallut se méfier
de ces philosophes. Malgré les théologiens qui contrô-
laient, malgré la pieuse orthodoxie des grands articles
toutes sortes d'insinuations adroites menaient le lecteur
vers le doute et les négations impies. Au détour d'un
article inoffensif, à propos d'un sujet obscur de mythologie ou d'histoire naturelle, on bafouait la crédulité,
on condamnait le fanatisme et on laissait entendre,
clairement, que le christianisme, comme toute religion,
vivait de crédulité et régnait par le fanatisme. Les pro-
testations s'élevèrent. Une occasion triompha des
hésitations de l'autorité. Un ami de Diderot, collabo-

teur de l'*Encyclopédie*, l'abbé de Prades, soutint en
Sorbonne, en 1751, une thèse de théologie où l'on ne
vit d'abord que de la théologie correcte ; elle fut auto-
risée, puis reçue. Puis on s'aperçut qu'elle avançait
des propositions manifestement hérétiques ; on sut
ou l'on crut savoir que Diderot n'y était pas étranger.
L'*Encyclopédie* paya l'audace de l'abbé de Prades ;
elle fut supprimée en 1752.

Mais les Encyclopédistes avaient des défenseurs,
dont Mme de Pompadour. De gros intérêts matériels
étaient en jeu. On mit d'accord Mme de Pompadour,
la Sorbonne et les souscripteurs, en fermant les yeux.
L'*Encyclopédie* ne fut plus mise en vente, publiquement,
mais elle continua à s'imprimer. Elle persista d'ailleurs
à servir adroitement les idées des philosophes et non
pas celles de la tradition. Trois théologiens la surveil-
laient officiellement. Mais ils manquaient de patience
ou de perspicacité. Par des renvois habiles, par des
allusions, par des exposés d'apparence respectueuse,
mais où l'on éclairait d'une lumière vive les difficultés,
Diderot, Morellet et d'autres enseignaient à douter et
à nier. Les adversaires des philosophes cherchèrent
encore une occasion. Ils la trouvèrent dans la publication de *L'Esprit* d'Helvétius.

L'Esprit, en apparence, ne s'occupait pas de religion.
Il se contentait d'étudier la façon dont peuvent se former
nos idées, les habitudes, les mœurs. Mais il était clair
que pour Helvétius toutes nos idées viennent de nos
sensations et qu'il n'y a rien dans nos sensations que les
actions et réactions de la matière, que toutes nos habitudes naissent de nos expériences et que les religions
sont des habitudes comme les autres. Or, ce livre matérialiste paraissait avec le nom de l'auteur, avec une
autorisation que le censeur avait donnée par inadver-
tance. Ce fut un beau scandale. Le censeur fut révoqué.

Helvétius, pour ne pas être poursuivi, dut signer et publier trois rétractations très humbles. *L'Esprit* fut censuré et condamné solennellement. Et l'on mit à profit la condamnation. Helvétius était un encyclopédiste notoire. On affirma que l'*Encyclopédie* tout entière menait sournoisement aux mêmes conclusions impies que *L'Esprit*. Les ennemis des philosophes insistèrent, menacèrent. Bref, le Conseil d'État révoquait le privilège en 1759 ; l'impression de l'ouvrage était désormais interdite, et la philosophie « anéantie ».

Mais les philosophes et plus généralement tous ceux qui prétendaient dire ce qu'ils pensaient ne se déclaraient pas vaincus. Depuis longtemps, ils étaient accoutumés aux ruses de guerre et à ces combats d'embuscades où l'autorité se laissait aisément surprendre. Les imprimeries étaient en nombre fixé et étroitement surveillées. Mais les imprimeries clandestines se multiplient. Le métier a ses risques et les peines sont cruelles ; en 1757, un abbé de Capmartin est encore condamné à neuf ans de galères. Mais les profits aussi sont considérables ; et pour une imprimerie saisie deux se créent. A défaut d'imprimeurs audacieux, il y a d'ailleurs des copies manuscrites. Dans la première moitié du siècle, c'est ainsi que circulent les livres impies qu'on imprimera dans la seconde : *Le Ciel ouvert à tous les hommes* de P. Cuppée, le *Testament du Curé Meslier*, le *Traité des trois imposteurs*, etc. Les copies sont nombreuses ; il en subsiste encore aujourd'hui un assez grand nombre ; il y a, dit Voltaire, plus de cent exemplaires du *curé Meslier* dans Paris. Et puis les imprimeurs étrangers sont parfaitement libres d'imprimer en français des ouvrages qui ne plaisent pas au gouvernement français. A Londres, à Amsterdam, à Leyde, à Genève et ailleurs on édite ainsi les ouvrages les plus audacieusement philosophiques. Il ne reste plus qu'à les acheminer en

France et à Paris. Les commis des douanes surveillent
sans doute. Il y a des descentes de police. Le gouvernement a ses indicateurs et l'on sonde, à l'occasion, toute
la cargaison d'un navire. Mais il y a cent moyens de
tromper la douane et d'esquiver les surveillances.
On paye les commis ; on corrompt les commissaires.
D'ailleurs tous ceux qui ont quelque rang dans l'État
ont le droit de passer à la douane ou devant l'octroi
sans qu'on visite ni leurs colis ni leurs carrosses ; et
le carrosse de M. l'intendant ou de M. le Prince a les
privilèges de son maître, même s'il n'est pas dedans.
C'est ainsi qu'arrivent à Rousseau, sans encombre,
et sans même qu'il paye de port, les épreuves de *La
Nouvelle Héloïse* et celles de l'*Émile* ; c'est ainsi, par
l'entremise de Catherine II, que Falconet reçoit le
Testament du curé Meslier. Risques et complaisances
se payent, bien entendu, le plus souvent. Les manuscrits
et les livres interdits coûtent très cher, surtout dans la
première moitié du siècle. Un *Mémoire pour Abraham
Chaumeix* se vend jusqu'à six louis, l'*Émile* jusqu'à
deux louis. Mais les prix baissent, très souvent. Les
colporteurs donnent *L'Imposture sacerdotale* pour dix
écus, et *La superstitution démasquée* pour vingt francs.
Après 1770, le plus souvent, on ne parle plus par louis
ni même par écus, mais par livres ; la surveillance
devient souvent si nonchalante que les livres défendus
se vendent presque publiquement. Le Suisse Fauche-
Borel place aisément à Paris, en 1780, les œuvres
imprimées par son père, telles que l'*Histoire des deux
Indes* de Raynal. Jusqu'à Versailles et sur le passage
du roi des boutiques tiennent sur leurs arrière-rayons
Les Mœurs de Toussaint, *La Pucelle* ou le *Dictionnaire
philosophique* de Voltaire, *Le Christianisme dévoilé* de
d'Holbach.

Contre la Sorbonne, le Parlement, les menaces de

galère ou de mort les philosophes ont en effet pour eux
la plus puissante de toutes les forces, celle de l'opinion.
Ils ont l'opinion des salons et l'on n'est pas un homme
du bel air si on ne les fréquente pas. Ils ont bientôt
l'Académie elle-même. Les salons, Duclos, secrétaire
perpétuel, puis d'Alembert qui lui succède, intriguent
avec une adresse patiente, et bientôt le parti des
philosophes l'emporte nettement sur celui des défenseurs de la tradition. Très vite, il est élégant de mépriser
les « préjugés », la « superstition » et le « fanatisme ».
Très vite même on est convaincu qu'il n'y a pas de
dignité humaine sans la liberté de pensée, ni d'ordre
social sans tolérance. C'est ainsi que des magistrats
eux-mêmes se font les complices des philosophes
contre l'autorité qu'ils représentent. C'est grâce au
directeur de la librairie, Malesherbes, que Rousseau
peut faire imprimer *La Nouvelle Héloïse* et l'*Émile*.
C'est chez Malhesherbes que l'on cache les manuscrits
et les feuilles de l'*Encyclopédie* pendant qu'on perqui-
sitionne chez les imprimeurs. Brissot nous a conté
un exemple pittoresque des simulacres de poursuite
contre les auteurs. L'Inspecteur de la librairie chargé de
l'arrêter, pour un mauvais pamphlet, vint le prévenir
poliment qu'il eût à se sauver, car il viendrait l'arrêter
le lendemain. Cet inspecteur revendait, par sa femme,
les livres qu'il était venu saisir. Il n'est d'ailleurs
pas très certain que Malesherbes et les autres manquaient à leur devoir ou trahissaient les intérêts de
l'autorité. Les poursuites ne faisaient plus peur à
personne ; elles ridiculisaient le gouvernement et faisaient la gloire des victimes. L'avocat Barbier, qui
n'aimait guère les philosophes, était déjà convaincu
qu'on avait eu tort de faire tant de bruit autour de la
thèse de l'abbé de Prades : « il fallait condamner et
étouffer l'affaire » et ne pas « donner de la curiosité

à tous les fidèles ». On console l'abbé Morellet d'être
mis à la Bastille en lui démontrant que « ces six mois de
Bastille seraient une excellente recommandation et fe-
raient infailliblement sa fortune ». Morellet est convaincu
et ils la firent, en effet, comme celle de quelques autres.

Aussi c'est au moment même où l'autorité semble
triompher, c'est à la date où l'*Encyclopédie* est supprimée, que la bataille se décide en faveur des philosophes
et que ses épisodes sont une succession d'échecs pour la
Sorbonne ou le Parlement. Les adversaires des philosophes redoublent leurs attaques. L'avocat Moreau
publie ses *Mémoires pour servir à l'histoire des Cacouacs*,
Palissot fait jouer *Les Philosophes* ; l'*Année littéraire* de
Fréron multiplie les polémiques adroites. Mais Moreau
et Palissot sont médiocres. Fréron, intelligent et plus
redoutable, n'est pas soutenu ; il est même, à l'occasion,
persécuté. Si bien que toutes les offensives du Parlement,
de la Sorbonne, des Mandements d'évêque et d'archevêque finissent par échouer. Par permission tacite,
l'*Encyclopédie* continue à s'imprimer. Quand elle est
achevée la seule politesse que l'on demande aux imprimeurs condamnés est de mettre sur la page de titre
Genève au lieu de *Paris* et de prier les souscripteurs
parisiens de venir chercher leurs exemplaires dans la
banlieue. Les autres ouvrages philosophiques eurent le
même destin que l'*Encyclopédie*. Ceux qui sont ouvertement impies et qu'éditent ou composent d'Holbach et
Naigeon, *Le Militaire philosophe, L'Imposture sacerdotale,
Le Christianisme dévoilé*, etc. se vendent assez aisément
sous le manteau. D'Holbach et Naigeon, qui gardent
d'ailleurs habilement leur secret, vivent à Paris sans être
inquiétés. Pour tous les autres ouvrages qui ne sont pas
de la polémique brutale, dont on connaît les auteurs, la
comédie se déroule avec les mêmes péripéties. Scandale.
La Sorbonne ou le Parlement ou les deux s'assemblent

et délibèrent. On rédige des censures. L'auteur s'exile quelques mois ou fait quelques jours de prison. Il devient illustre et on s'arrache son livre. Ainsi, pour le *Bélisaire* de Marmontel qui défendait la tolérance. Douze commissaires condamnent trente-sept propositions ; la Faculté de théologie censure (1767). La censure est accueillie avec des éclats de rire et la Sorbonne reçoit l'ordre de cesser toute discussion. *La Philosophie de la nature* de Delisle de Sales est condamnée, en 1777, après un procès retentissant et l'auteur est emprisonné. Mais le Parlement casse le jugement et Delisle de Sales sort de sa prison en triomphateur. Buffon déteste, lui, les « tracasseries théologiques ». En publiant ses *Études de la nature* il a pris ses précautions et fait aux théologiens toutes sortes de politesses. Les théologiens n'ignorent pas que leur théologie n'est pourtant pas d'accord avec Buffon. Ils s'assemblent ; mais on leur fait comprendre qu'ils n'ont qu'à se taire, et ils se taisent. Raynal publie, en 1781, une nouvelle édition de son *Histoire philosophique des deux Indes*. Elle s'est enrichie de diatribes violentes contre une religion qui a ensanglanté les deux Indes. Le livre est condamné et Raynal doit s'exiler. Mais la vogue de son œuvre est immense ; et bientôt il rentrera glorieusement en France. *Le Mariage de Figaro* de Beaumarchais est une pièce fort impertinente non pas pour la religion, mais pour la noblesse et ses privilèges. La représentation en est interdite. Mais on n'interdit pas à Beaumarchais de faire des lectures privées et de conquérir l'opinion. L'opinion demande qu'on joue la pièce. L'autorité cède. Au dernier moment Louis XVI oppose son veto. Il cède à son tour. La représentation est un triomphe. Beaumarchais en abuse et écrit au *Journal de Paris* une lettre à peu près insolente. On l'arrête. On l'emprisonne. Et il est libéré au bout de quelques jours, dans le concert des acclamations.

Ainsi dès 1760, plus nettement vers 1770 et surtout vers 1780, presque plus rien ne s'oppose, pratiquement, à la diffusion de l'esprit nouveau. Il n'y a plus de lutte véritable entre la force brutale de l'autorité et les idées. La bataille se livre entre des opinions, traditions d'un côté, des scepticismes, négations et révoltes de l'autre. Il nous reste à suivre les péripéties de cette lutte d'idées.

Chapitre III

LA DIFFUSION DE LA HAUTE INSTRUCTION

« En Espagne, dit en 1752 le marquis d'Argenson, l'ignorance contient encore les peuples et les empêche de raisonner. En France on nous a traités longtemps ainsi ». Mais les temps ont changé au XVIII⁰ siècle. Même si l'on ne savait pas de quoi les peuples raisonnent, il serait très certain qu'ils ont pris le goût du raisonnement et que la haute instruction s'est répandue avec une surprenante rapidité.

« Les peuples » ne veut d'ailleurs pas dire « le peuple ». On a beaucoup discuté sur l'instruction primaire en France au XVIII⁰ siècle. On a publié des documents, dès maintenant très nombreux et fort précis. Il en résulte qu'il y a encore des populations fort ignorantes, mais que les écoles se multiplient un peu partout. Soixante à soixante-dix pour cent des hommes, quelquefois plus, savent souvent signer leur nom. Il en résulte également que ce ne sont pas, sauf exceptions, ni l'autorité politique ni les philosophes qui travaillent à répandre cette instruction. Presque tous les philosophes se défient de la « populace » et préfèrent qu'elle occupe ses bras plutôt que son esprit. C'est le clergé qui surveille et encourage les petites écoles. Car on n'y apprend que la lecture, l'écriture et le calcul et on n'y étudie que le catéchisme et l'histoire sainte. Il n'y a pas de journaux pour le peuple. L'instruction primaire ne peut avoir et n'a eu au XVIIIᵉ siècle que des fins pratiques ou pieuses. Elle n'est pas un moyen de culture ni surtout un commencement de curiosité.

Il n'en est pas de même de la haute culture, de celle qui se donne dans les collèges et qui se prolonge ou se renouvelle par la lecture et la discussion. Voltaire, d'Argenson et quelques autres ont affirmé qu'on ne lisait pas dans les provinces et qu'on n'y discutait que sur la componction d'un sermon ou la confection d'une tourte. Mais toutes sortes de témoignages les démentent. Et d'Argenson s'est démenti lui-même : « Aujourd'hui chacun lit sa *Gazette de Paris*, même dans les provinces. On raisonne à tort et à travers sur la politique, mais on s'en occupe ». Si d'Argenson ne parle que de la province qu'il connaît, d'autres le confirment. La Beaumelle est tout étonné de trouver parmi les douze ou quinze cents habitants du Vigan des « gens de lettres pleins d'esprit ». A Nérac, à Saint-Antonin dans le Rouergue, à Agen, à Valenciennes, dans des fermes mêmes ou chez de petits bourgeois de village il y a des gens « très instruits » qui achètent beaucoup de livres, sont abonnés à deux ou trois gazettes, lisent l'*Histoire naturelle* de Buffon, l'*Encyclopédie*, les *Dialogues sur les blés* de Galiani. Témoignages dispersés sans doute, comme il est inévitable puisque les gens modestes ne transmettent pas généralement leur histoire à la postérité. Mais ils sont appuyés par des témoignages généraux.

Les livres, les journaux, les gazettes coûtent cher. On s'associe donc pour les acheter. Un peu partout s'organisent des sociétés où l'on se réunit, comme on l'avait toujours fait, pour se divertir « honnêtement », causer des affaires de sa ville et de ses affaires, jouer au trictrac, ou aux échecs. Mais, vers 1770 ou 1780, les divertissements honnêtes comprennent désormais la lecture ; et la lecture amène aisément et presque nécessairement la discussion. Les « sociétés de jeux » deviennent ainsi des sociétés littéraires. A Paris il ne semble guère qu'il y en ait eu, en dehors des loges maçonniques. Mais il se fonde des cours d'enseignement supérieur qui eurent une vogue éclatante : *Le Musée* de Court de Gébelin, *Le Musée* scientifique de Pilâtre de Rozier, puis *Le Lycée* où professent Garat, La Harpe, Parcieux, Fourcroy. Junker, censeur royal, fait deux ou trois fois par semaine, en 1777, un cours public de sciences politiques. En province il y a des sociétés de lecture à Caen, à Laval, à Saint-Antonin, à Castres, au Mans etc... où on lit « les nouvelles et papiers publics » ; à Agen, où la société prend le nom de *La Politique*. « Son seul défaut c'est qu'elle est devenue tant soit peu pétaudière et qu'il faut y essuyer des raisonnements et des conjectures politiques des plus ridicules ». Le casino de Nice où l'on peut lire les journaux est fondé en 1786. A Bordeaux un *Musée* se fonde en 1783. Sa devise est « liberté, égalité » ; il se substitue rapidement à l'Université, en pleine décadence. D'autres villes établissent ou tentent d'établir des sociétés analogues. Parfois comme au Mans elles réunissent des « hommes de différents états ». Ailleurs elles choisissent ; elles restent aristocratiques ou riches. Mais d'autres se fondent. A Agen à côté de « l'association de tous les habitants les plus distingués » il y en a une pour « les procureurs et petits bourgeois » et une autre « pour les gros bonnets du bas peuple ». A Saint-Brieuc, une « chambre littéraire » réunit la noblesse, les chanoines, les gros commerçants, une autre la bourgeoisie et l'on y parle « politique, réforme des abus, égalité devant l'impôt ». Des bibliothèques publiques s'ouvrent ou se fondent ; à Verdun celle des Prémontrés où l'on trouve « presque tous les ouvrages prohibés par le despotisme ou prohibés par la Cour de Rome », Locke, Voltaire, Rousseau, Boulanger, Helvétius, Mably ; à Boulogne-sur-Mer, une chambre de lecture où l'on peut lire les « gazettes et papiers français, anglais et hollandais » et emprunter trois livres par mois ; à Bordeaux la bibliothèque de l'Académie, etc... Dans presque toutes les provinces commencent à paraître une *Gazette* ou une *Affiche*, à La Rochelle, à Poitiers, à Caen, à Reims, à Toulouse, à Troyes, à Nancy et à Bourges, etc... Journaux fort anodins sans doute qui copient *L'Affiche de Paris*, donnent quelques nouvelles locales, les annonces des commerçants, les terres et maisons à vendre. Mais on y annonce pourtant des livres ; on les analyse. Et ils sont complétés assez souvent par des journaux manuscrits, des « nouvelles à la main » qui ne cachent rien et qui sont fort impertinentes. Les correspondances de Grimm, Métra, La Harpe, Bachaumont vont uniquement ou surtout à l'étranger. Mais il y en a d'autres que reçoivent des gens curieux de Caen, de Bordeaux et d'ailleurs.

Il y a enfin des Académies. Tout le monde ne pouvait pas être de l'Académie française. On imagina donc, dès la fin du XVIIᵉ siècle, de fonder des académies provinciales pour verser un peu de gloire sur les savants de Dijon, Lyon, Bordeaux ou d'ailleurs. A travers tout le XVIIIᵉ siècle il se fonde de ces Académies un peu partout, une quarantaine pour le moins, et non pas seulement dans les grandes villes, mais à Bayeux, Villefranche, Cherbourg, Soissons, La Rochelle, etc... Ce ne sont pas, très souvent, d'obscurs cénacles de vieux messieurs. Elles sont célèbres dans la province et parfois leur gloire rayonne au delà. Le *Mercure* rend compte de leurs séances. Les *Affiches de province* annoncent leurs prix. Rousseau, puis Buffon rendent l'Académie de Dijon célèbre. Quand Raynal rend visite à celle de Lyon l'affluence est si considérable qu'il faut transporter la séance dans une salle plus vaste.

Leur activité est d'ailleurs grande. Les Mémoires qu'on y lit chaque année se comptent par douzaines ; près de deux mille pour celle de Rouen en moins de cinquante ans. Chaque prix est brigué par de nombreux concurrents. Assurément il y a dans ces lectures et ces mémoires une grande part de rhétorique. On continue au sein des Académies les exercices du collège, les discours, odes et élégies. Quand on y exprime et discute des idées elles sont encore le plus souvent fort respectueuses ou fort prudentes. L'Académie est instituée par lettres patentes et une incartade peut la tuer. A Montauban et à Béziers les membres assistent à la messe avant la séance publique. Les discours soumis à l'Académie de Montauban doivent se terminer par « une courte prière en l'honneur de Jésus-Christ » et être signés par deux docteurs en théologie. La devise de la Société académique de Cherbourg est « religion et honneur ». Discours et mémoires sont fort souvent hostiles à la « fausse philosophie » qui est celle des Encyclopédistes ; ils condamnent véhémentement l'esprit de révolte et d'impiété.

Toutefois, comme on le dit de celle d'Agen, « tout cela annonce une fermentation de connaissances, et c'est beaucoup pour une ville où l'on savait à peine lire il y a quarante ans ». Connaissances expérimentales, réalistes et non plus seulement rhétorique et bel esprit. Une bonne moitié des mémoires et des sujets de prix posent et prétendent résoudre des problèmes agricoles, commerciaux, industriels sur les vins, les blés, les huiles, les eaux minérales, la culture des terres, les coupes de bois, la construction des moulins, la fabrication des huiles, les maladies épidémiques, etc... Les recherches sont des recherches locales, destinées à la culture, au commerce, à l'industrie de la province. Très souvent même, avec la

« philosophie expérimentale », c'est la philosophie des Encyclopédistes qui interviennent, l'esprit d'examen. A Metz on discute l'*Esprit* d'Helvétius, le *De la nature* de Robinet, *Le Contrat social* de Rousseau. Ce n'est pas pour les approuver ; mais on les lit et on les fait lire. A Lyon l'abbé Millot vante la philosophie anglaise qui a « dissipé les ténèbres et les extravagances du péripatétisme... établi la physique expérimentale ». A l'Académie d'Amiens on fait l'éloge de Rousseau ; aux Jeux floraux de Toulouse on projette celui de Bayle, et l'on propose celui de Rousseau. A Caen l'abbé Le Moigne maudit les « excès du fanatisme » qui a massacré Ramus, emprisonné Bacon et Galilée. Et l'Académie de Nancy exclut du concours le discours de l'abbé Ferlet « sous prétexte, écrit Ferlet, qu'il attaquait avec trop de vivacité quelques Encyclopédistes ».

On s'intéresse aux problèmes sociaux et aux abus, à ceux mêmes, parfois, qui mettent en cause l'ordre social, à la dépopulation, aux ravages du luxe, aux théories de Montesquieu, aux lois somptuaires, à la peine de mort que discutent trois académies, à l'éducation du peuple. Rouen discute sur la nature des peines, sur la procédure criminelle, sur la noblesse commerçante, sur l'unification des coutumes, sur l'éducation publique. Dijon couronne Brissot qui proteste contre la disproportion des délits et des peines. Les Jeux floraux vantent « la grandeur et l'importance » de la révolution américaine ; et l'Académie d'Amiens cherche les avantages et les moyens de supprimer les communautés d'arts et métiers.

Bref, c'est partout une « fureur d'apprendre » et une « fièvre d'intelligence ». Elles témoignent qu'une Geneviève de Malboissière, une Madame Roland, un Brissot dont nous connaissons bien la jeunesse, par leurs lettres et mémoires, ne sont pas tout à fait des exceptions. Geneviève de Malboissière est riche, bien née, jolie, cour-

tisée. Mais elle dépense et peut-être elle use ses jours à
l'étude. Elle sait l'italien et l'anglais. A 15 ans et demi elle
relit tout Virgile, le Tasse, l'Arioste ; elle discute avec
Hume ; elle prend des leçons d'histoire naturelle et de
physique ; elle commence l'étude de l'allemand et de
l'espagnol ; elle traduit couramment le grec. A dix-sept
ans, en une journée, elle finit un thème allemand, fait un
thème italien et un thème espagnol, lit le premier volume
des *Révolutions romaines* de Vertot, finit le premier
volume de Robertson et lit vingt-deux pages de Buffon.
Marie Phlipon, qui deviendra Mme Roland et qui est
fille d'un graveur, étudie la physique et les mathématiques, lit l'abbé Nollet, Réaumur, Bonnet, Clairaut, pille
la bibliothèque de l'abbé Le Jay, puis celles des libraires,
dévore Pluche, Rollin, Crevier, le P. d'Orléans, Saint-
Réal, Vertot, Mézeray, puis Montesquieu, Locke, Bur-
lamaqui, Nicole, Pope, tout Voltaire, Boulanger, le
marquis d'Argens, Helvétius, Malebranche, Leibnitz,
Raynal, Bayle, Morelly, Rousseau. Lectures ardentes et
désordonnées ; mais elles prouvent que la fille d'un modeste graveur pouvait trouver tous ces livres. Il est assez
aisé en effet aux fils des petites gens de poursuivre les
études qui les mèneront à « franchir l'étape », à quitter
la gravure, la pâtisserie ou même leur ferme pour devenir
avocats, procureurs ou prêtres. Cela ne date pas du
XVIIIᵉ siècle. Depuis bien longtemps il y a, dans tous les
collèges, des boursiers ; au XVIIᵉ siècle ils devenaient
pour la plupart des prêtres, comme les fondateurs des
bourses le désiraient. Ils le deviennent beaucoup moins
au XVIIIᵉ siècle ; mais ils achèvent leurs études ; ils
réussissent. Ils font la gloire de leur ville natale. Quand ils
rentrent à Agen, ou ailleurs, après avoir passé leur thèse
ou couverts de lauriers, les notables les attendent à
l'entrée du village ; on les assied à un banquet solennel
parmi les échevins et les jurats. Le fils d'un boulanger du

Mans, Mahérault, remporte à Louis-le-Grand des accessits du Concours général. Brissot est le fils d'un traiteur qui avait eu dix-sept enfants ; il fait pourtant toutes ses études chez un maître de pension, puis au collège, et glorieusement. Le père de Marmontel est un humble tailleur de la petite ville de Bord en Limousin ; on vit chez lui de bien peu d'argent et des récoltes du jardin, des produits de l'étable. Marmontel trouve moyen pourtant d'achever toutes ses études à Mauriac, puis à Toulouse, et d'entrer à l'Académie. L'instruction est vraiment, à la fin du XVIII° siècle, ouverte presque à tous et pour toutes les destinées.

CHAPITRE IV

L'INFLUENCE GÉNÉRALE DE LA PHILOSOPHIE

Cette instruction aurait pu être une des forces de la tradition ; elle aurait pu s'entêter dans les idées du passé et plier les élèves aux disciplines de leurs pères. Mais elle s'ouvre, elle aussi, à des idées neuves. Nous avons vu que le latin avait dû renoncer à ses privilèges, qu'on avait réclamé, et timidement réalisé, une éducation plus moderne et plus réaliste. Mais c'est la philosophie elle-même, c'est « l'école » qui se transforme. La vieille scolastique glorieuse de ses sept ou huit siècles de disputes et de gloire commence à reculer devant des attaques furieuses. Diderot et l'*Encyclopédie* s'en moquent copieusement. Il leur paraît inepte de se demander « si l'être est univoque à l'égard de la substance et de l'accident » ou s'il est en la puissance de Dieu d'être un oignon ou une citrouille. D'Argens, Savérien, d'Alembert, Helvétius, Voltaire et dix autres font des gorges chaudes de ces problèmes. Descartes, condamné encore au début du XVIIIe siècle, est bientôt toléré ; l'évidence et le raisonnement cartésiens prennent la place de la logique scolastique. Puis c'est Newton et avec lui l'esprit expérimental qui gagne du terrain, qui s'impose. Locke même et Condillac finissent par pénétrer dans l'enseignement scolaire. En 1751, Loménie de Brienne soutient en Sor-

bonne une thèse où il réfute les idées innées de Descartes
et défend le sensualisme de Locke. Les Oratoriens,
Troyes notamment ou au Mans, sont infidèles à la scolastique, suivent Locke et Condillac ; il faut que les évêques
sévissent et imposent des manuels scolaires orthodoxes.

Quand on étudie ces manuels on n'y trouve rien évidemment qui rappelle les *Pensées philosophiques*, ni
même le *Traité des sensations*. La forme en est presque
toujours scolastique et les conclusions ne dépassent pas
un vague cartésianisme. Le manuel de Dagoumer reste
en usage jusqu'à la fin du siècle et c'est, disent les *Affiches de province* qui ne sont pourtant pas philosophiques,
« l'ouvrage d'un vieux athlète de l'École », de l'école
scolastique. D'autres manuels publiés dans la deuxième
moitié du siècle (ceux de Mazéas, Hauchecorne, Le
Ridant, Vallat, Caron, etc...), sont aimables pour Descartes ou tout à fait cartésiens. « *Methodus cartesiana
optima est, et ad recte philosophandum necessaria* »,
dit Le Ridant. Mais ils s'en tiennent à Descartes ; il leur
arrive de réfuter Newton ; ils sont rédigés en latin et
ordonnés selon les formes scolastiques. D'autres au
contraire sont plus audacieux. Martinet à Poitiers,
Migeot à Reims publient une *Logique* ou des *Philosophiæ
elementa* qui répudient « ce que les anciennes philosophies avaient de barbare, d'obscur, d'inutile et de rebu-
tant ». Seguy publie en 1771 une *Philosophia ad usum
scholarum accommodata*. Le *Mercure* la considère comme
un « livre classique » et félicite l'auteur d'avoir parlé
poliment de Leibnitz, de Locke, des auteurs de l'*Encyclopédie* et d'avoir « mis à profit » leurs découvertes.
Seguy cite en effet et souvent pour les approuver Montesquieu, Rousseau et l'*opus famosum* de Locke. Beguin
enfin ou l'abbé Jurain sont plus audacieux encore
Beguin, à Louis-le-Grand, garde la forme d'exposé scolastique, mais il proteste contre l' « esprit scolastique ».

Il enseigne la « physique expérimentale », la chimie, l'histoire naturelle, d'après Nollet, Romé de Lisle, Macquer, Rouelle. Il fait un vif éloge de Newton, Bacon et Locke. A Reims l'abbé Jurat donne, à l'Hôtel de Ville, des leçons de mathématiques, de « philosophie française » et de « physique expérimentale » ; il « laisse de côté la plupart des questions de métaphysique », il répudie la « forme barbare des scolastiques » pour adopter la méthode des Malebranche, des Newton et des Locke.

Si l'esprit de Bacon, de Locke, de Condillac, pénètre jusque dans la forteresse de la philosophie des collèges et des séminaires, il n'est pas étonnant qu'il ait si souvent conquis ceux qui ne rédigeaient pas des Manuels de métaphysique. Dans la noblesse, comme dans la bourgeoisie, les philosophes eurent assurément des adversaires déterminés ou des lecteurs incertains qui ne savaient pas bien souvent s'ils devaient applaudir ou s'indigner. Ni d'Aguesseau, ni Montbarey, ni le duc de Penthièvre, ni dix autres n'aiment la « secte philosophique ». Ni le bourgeois Hardy, ni le commissaire Narbonne, ni les beaux esprits Piron ou Collé n'ont des sympathies pour Voltaire, Diderot ou d'Alembert ; Narbonne voudrait enfermer Voltaire à la Bastille pour le reste de ses jours. D'autres se donnent et se reprennent, cèdent à une curiosité et à une sympathie secrète, puis s'inquiètent et se gourmandent. Marais est fort pieux ; il n'aime ni Voltaire, vilain Zoïle et serpent, ni sa philosophie, « affreuse et brûlable ». L'avocat Barbier craint sans cesse pour l'ordre, pour son argent et ses rentes ; il est « obligé de croire » à un miracle sur le passage d'une procession. Pour le marquis d'Argenson, Voltaire, Diderot, Rousseau et les autres ne sont que de la canaille ; il déteste l'esprit de révolte et d'irréligion et l'audace des gens de rien qui se mêlent d'avoir des idées. Pourtant Marais

est l'ami enthousiaste et presque dévot de Bayle ; il lui
« bâtit un temple » ; il s'esclaffe des miracles de Marie
Alacoque ; il admire *La Henriade*. Barbier tient les ouvrages de Montesquieu pour un chef-d'œuvre, l'abbé de
Prades pour « un garçon de beaucoup de mérite et d'éducation », Morellet pour « un homme supérieur ». Il est
à la piste de tous les ouvrages suspects ou défendus, des
Mœurs, du *Sermon des cinquante*, de l'*Encyclopédie*.
D'Argenson n'a pas assez de mépris pour le bigotisme,
l'hypocrisie, les sottises et les bavardages des théologiens, les querelles des jansénistes et des jésuites. Et
c'est lui qui recueille sur ses terres et fait sortir de France
l'abbé de Prades, après le scandale de sa thèse.

Marais, Barbier, d'Argenson écrivent avant 1760.
Autour d'eux, et surtout après eux, les philosophes
ont des admirateurs qui ne font pas de réserves et qui leur
vouent parfois un culte passionné. Mme de Frénilly, qui
est pieuse, est « fascinée » et veut que son fils puisse dire
aux fils de ses fils : « J'ai vu Voltaire ». La mère du
chancelier Pasquier est si dévote que par crainte de
manquer à la Providence elle ne veut pas qu'on vaccine
sa fille ; elle entre pourtant en relations avec J.-J. Rousseau, condamné par la Sorbonne et l'archevêque de
Paris. On sait que le retour de Voltaire à Paris est une
prodigieuse apothéose. Le grand-père même de Mme de
Villeneuve-Arifat, « qui n'était pas homme à suivre le
torrent », va le voir avec sa femme. Mme du Hausset
constate que « sur le déclin de l'âge » les femmes rempla-
cent la galanterie non plus par la dévotion, mais par la
philosophie.

Car les philosophes ont pour eux la mode et les salons.
Dans la première moitié du siècle les salons sont surtout
des « bureaux d'esprit ». Les philosophes, Voltaire,
Fontenelle, Montesquieu, Rousseau y fréquentent. Mais
ni Mme de Lambert, ni Mme de Tencin, ni Mme Geoffrin,

ni même Mme du Deffand n'aiment qu'on parle des
puissances de ce monde. On peut causer chez elles de galanterie, de littérature, de beaux-arts ou de sciences ;
elles défendent qu'on y touche à la religion ou à la politique. Les choses changent dans la deuxième moitié du
siècle. Chez Mlle de Lespinasse, chez Mme Helvétius,
chez le baron d'Holbach, on dit tout ce qu'on veut et
comme l'on veut. Les salons se multiplient et presque
tous se vantent d'être « philosophiques ». Même chez la
marquise de Castellane qui est dévote, chez Mme Necker
qui est pieuse, on rencontre d'Alembert, Condorcet,
Raynal, Diderot, Mably. Et dans beaucoup d'autres on
se « jette tout à fait dans le torrent ». Salons de Mme de
la Briche où l'on rencontre Saint-Lambert, Morellet ; de
la duchesse de Choiseul, de la maréchale de Luxembourg,
de la comtesse de Ségur, de la duchesse de Grammont où
viennent Raynal, Mably, Marmontel, où on lit Helvétius,
Rousseau, Voltaire, Diderot ; hôtels de la duchesse
d'Enville ou du duc de La Rochefoucauld où se retrouvent d'Alembert, Condorcet, Raynal, Turgot, Guibert
et les grands seigneurs libéraux, Choiseul, Rohan, Mau-
repas, Beauvau, Castries, Chauvelin. Salons plus modestes ou bourgeois : chez le père de Dufort de Cheverny
on voit Voltaire, Fontenelle, Turgot. Chez M. de Nicolaï
viennent Maury, Lemierre, Rulhière. Mably est « l'hié-
rophante » du salon de la grand'mère de Mme de Chastenay ; sa mère reçoit d'Alembert, Marmontel, Condorcet.

Ceux qui n'ont pas de salon pour les recevoir lisent les
livres des philosophes. Des voyageurs anglais, Talleyrand, Montbarey, le duc de Croÿ et d'autres s'accordent
à reconnaître que les idées nouvelles ont gagné les gens
de loi, les avocats, les officiers. C'est, dit Dutens, « une
manie à la mode » et il connaît un cordonnier enrichi qui
s'est fait philosophe. Ph. Lamare, secrétaire de dom
Goujet, bénédictin, lit l'*Encyclopédie*. N. Bergasse, pieux,

prudent, respectueux, admire Voltaire et visite Rousseau. Sicaire Rousseau, seigneur de la Jarthe en Périgord, est un seigneur qui croit à sa religion ; il s'abonne pourtant, avec l'avocat Cœuilhe, au *Journal encyclopédique*. A Grenoble, Laurent de Franquières va visiter Voltaire à Ferney. Dans sa jeunesse le poète Chabanon a des crises mystiques ; il croit, avec son curé, qu'aller au théâtre est un crime. Et pourtant il fait à Ferney plusieurs voyages, pour y rester, une fois, six mois.

Enfin la philosophie a exercé son influence sur la Franc-maçonnerie. Le rôle de la Franc-maçonnerie a été au XVIII° siècle très important, surtout à partir de 1775. A la veille de la Révolution elle avait organisé en France près de sept cents loges. On a tenté de démontrer que la Révolution était son œuvre, que ses chefs avaient tramé un vaste complot « philosophique » et athée pour renverser, à travers l'Europe, les royautés et les églises, au nom de la « libre pensée ». Mais il n'existe aucune preuve sérieuse de cette machination. Elle a sans doute été rêvée par quelques mystiques allemands. Elle n'a trouvé en France aucun écho. Au contraire, de très nombreux témoignages, authentiques, les archives des loges prouvent que ces loges avaient un esprit fort respectueux et fort prudent. Elles s'entendaient fort bien avec l'autorité ecclésiastique et toutes les autorités. Beaucoup de prêtres fort honnêtes en faisaient partie. Les nobles y étaient en très grand nombre. D'ailleurs leur principe était mystique beaucoup plus que rationnel et philosophique. On y était uni par des articles de foi beaucoup plus que par le goût de l'esprit critique. On croyait au « grand architecte de l'univers », à l'humanité, à la bienfaisance. Mais on croyait en même temps à des doctrines chères à la fois aux philosophes et aux cœurs sensibles, à la tolérance, à l'égalité. On pratiquait même cette égalité. Les loges sont très rarement « démo-

cratiques » ; les petites gens n'y entrent pas. Mais la
noblesse et la bourgeoisie y sont vraiment sur le même
pied.

Ainsi l'esprit maçonnique et l'esprit philosophique,
venus de sources différentes, se rencontrent. Beaucoup
de loges, surtout à Paris, sont ainsi les alliées des philosophes. En province la pénétration de la philosophie est
plus lente. Un grand nombre d'archives semblent témoigner que les maçons n'ont cherché dans leur loge
que le plaisir naïf des cérémonies singulières, des ban-
quets, la vanité de se distinguer ou les joies de la « sensibilité » et de l' « humanité ». Mais ils sont, sans même
qu'ils s'en doutent, dans un état d'âme philosophique ;
on leur enseigne et ils croient que les hommes sont frères.
S'ils n'ont aucun désir de conquérir la liberté par des
moyens violents, ils aspirent à l'égalité et à la fraternité.
Par là, en 1788 et 1789, les loges deviennent un admirable moyen de propagande pour les idées du Tiers-État
contre celles des ordres privilégiés. Elles ne sont pas
du tout, avant 1788, révolutionnaires. Mais elles sont
les fissures par lesquelles un certain esprit révolution-
naire se répandra rapidement à travers toute la France.

On peut, vers 1780, craindre et détester les philosophes. On ne peut plus guère les ignorer. Ils ont pour eux
la mode et le prestige. Il ne nous reste plus qu'à suivre
les conséquences de leur triomphe.

Chapitre V

LES PROGRÈS DE L'ESPRIT CRITIQUE
ET DE L'INCRÉDULITÉ

La première conséquence a été très souvent la dislocation de cette armature de foi religieuse et de foi monarchique qui faisait des Français, depuis tant de siècles, de fidèles sujets de leurs curés et du roi. Les témoignages sont nombreux qui constatent, pour s'en louer ou pour les déplorer, les progrès rapides de l'incrédulité. La princesse Palatine, dès 1722, puis Denesle, Diderot, Montbarey et dix autres s'accordent. Il n'y a pas cent personnes à Paris « qui croient en Notre-Seigneur ». Le Pyrrhonisme est une mode impérieuse ; « on donne à plein collier dans le matérialisme ». « De toutes parts, dit en 1779 un obscur romancier, on n'entend que des invectives et des cris de fureur contre les ministres de l'Église ; on les cite au tribunal de la raison, et l'on exige qu'ils prouvent la religion comme on démontre une vérité mathématique... Tout le royaume veut lire, et se former à l'école des nouveaux sages, et avec trois cents pages de mensonges, d'ironies et d'ordures fermer la bouche aux plus savants défenseurs de la révélation et donner le démenti à une religion de six mille ans ». Les témoignages des provinciaux sont aussi précis que les témoignages généraux. A Langres, les mandements des évêques tonnent contre les progrès du philosophisme. A Lyon, l'avocat Seguin constate que « la catholicité est dégénérée en un déisme presque universel ; la foi est éteinte, de sorte que je crois que la fin du monde approche ». A Châlons « il n'y a presque plus de religion ». A Rouen, la religion a « incomparablement moins dépéri qu'en beaucoup d'autres endroits», mais c'est peut-être « par habitude ».

Ce sont là des opinions et des impressions où il peut y avoir de la mauvaise humeur et de l'exagération. Mais de nombreux faits viennent les confirmer. En un an, de 1752 à 1753, à Saint-Sulpice, le nombre des communiants tombe de 4.200 à 3.000. Le dimanche, à la messe, ce sont des scandales, irrévérences et impiétés constantes dont on se plaint à Ainay-le-Château, à Nantes et ailleurs. A Saint-André de Fontenay, à l'heure de la messe, on joue aux quilles, on s'amuse à des « danses baladoires et scandaleuses ». L'interdiction de travailler le dimanche ou de faire commerce est de plus en plus mal observée. Les condamnations, sentences, arrêtés de police et du Parlement se multiplient à Rambervilliers, Caen, Rouen, Moulins. Les processions elles-mêmes, gloire, divertissement et communion spirituelle des cités sont peu à peu délaissées. Les corps de ville qui y assistaient en masse commencent à s'abstenir. Mêmes plaintes sur ce sujet à Gray, à Buglose, dans les Landes, à Caen, à Châlons. Dans les collèges mêmes, où l'enseignement religieux vient toujours en tête des programmes et des prospectus, la foi ou du moins la pratique de la foi s'en va. Au collège du Plessis, en vingt-deux mois, du Veyrier ne se confesse ni ne communie pas une seule fois. A Felletin, la pratique des devoirs de religion est très imparfaite et quelques élèves manquent la messe. A Juilly, la confession « équivaut à une récréation » et est une « occasion de polissonner ». De l'indifférence ou de l'ironie on passe même souvent à la haine. Dès 1734, le P. Castet constatait « qu'un nombre de beaux esprits et de gens du monde aimeront assez à voir traiter de haut en bas ce qu'ils appellent la prêtraille monastique et fronder même un peu l'ordre ecclésiastique, papes et évêques ». Vingt ans plus tard, si l'on en croit d'Argenson, cette fronde est devenue une révolte générale et violente ; la haine contre les prêtres « va au dernier excès ». Barbier confirme d'Argenson. En province un anonyme appelle dans ses lettres le temps qui « aura purgé le monde de soldats, de gens de justice, de prêtres et de courtisans ». Et à Toulouse, en 1781, on supprime les quatre bourses du collège de Foix, réservées à des prêtres, pour les donner à des laïques.

Il est probable que les philosophes ne sont pas toujours responsables de ces indifférences ou de ces impiétés, ni directement ni indirectement. On n'avait attendu ni l'*Encyclopédie*, ni Fontenelle ou Bayle pour ne pas pratiquer sa religion ou ne pas y croire. Quand le duc du Maine, J.-B. Rousseau, Piron et dix personnes faisaient gras un samedi, ce n'était pas par philosophie, car Piron détestait les philosophes. La marquise de Prie meurt sans sacrements et « fort insolemment ». Elle « veut jeter le curé par la fenêtre ». La duchesse de Mazarin au moment de mourir « rebute sur les sacrements ». Ni l'une ni l'autre ne s'étaient, pendant leur vie, beaucoup occupé de raisonner. En province, beaucoup de ceux qui ne pratiquaient pas étaient, sans doute, comme les parents d'Henriette de Montbielle, non pas philosophes et impies, « mais incrédules et indifférents ».

Pourtant, dans l'ensemble, les progrès de l'incrédulité suivent bien ceux de la philosophie. Et des témoignages précis démontrent que l'indifférence ou l'hostilité ont été fort souvent raisonnées comme celles de Voltaire, de d'Holbach ou de Raynal. Barbier même ou le marquis d'Argenson, qui n'aiment pas les insolences des philosophes, sont au fond sympathiques à leurs idées. D'Argenson tient leurs livres pour des « libelles indécents », mais il parle, dans ses Mémoires, exactement comme ces libelles. La Sorbonne n'est plus qu'une « carcasse ». L'*Encyclopédie* est un « grand et utile livre » ; et le rêve d'avenir de d'Argenson est le temps où l'on « bannira tout prêtre, tout sacerdoce, toute révélation, tout mystère et l'on ne verra plus que Dieu présumé par ses grandes et bonnes œuvres ». Chez d'autres, la lecture des philosophes et leur influence est plus évidente encore. Certains ne leur empruntent qu'une irréligion polie ou qu'un scepticisme prudent. Le comte Beugnot n'est pas contraire, quand il suit les cours du Lycée, à la philosophie du XVIIIᵉ siècle ; « il s'en fallait de beaucoup ». Il a pourtant, avec quelques camarades, une scène assez vive avec La Harpe « à qui nous voulions supprimer des paroles âcres contre la religion qu'il entremêlait, sans motifs comme sans excuses, à d'excellentes discussions littéraires ». Joubert se lie avec Diderot, Guillart de Beaurieu, L.-S. Mercier. Carnot, de pieux qu'il était devient déiste, après avoir étudié d'une part la théologie et, d'autre part, les philosophes ; Rousseau est son maître ; il lui rend visite. D'autres, plus violents, font partie de ceux qui, comme le dit Beugnot, mettent « la guerre à l'infâme à l'ordre du jour ». « J'ai dîné aujourd'hui, écrit Walpole, avec une demi-douzaine de savants, et quoique tous les domestiques fussent là pour le service, la conversation a été beaucoup moins réservée, même sur l'Ancien Testament, que je ne l'aurais souffert à ma table en Angleterre, ne fût-ce qu'en présence d'un seul laquais ». Un des amis du comte de Tressan fait l'apologie de

L'Homme-machine, de La Mettrie. M. de Fréville est
« presque professeur public d'athéisme » ; en 1782,
il en fait parade dans un café de la rue de Richelieu.
Il est même possible que cet athéisme soit allé jusqu'au
peuple. En 1782, il y a à la Salpêtrière deux femmes
qui vivaient « avec des hommes sans d'autre frein
que l'amour ». Elles sont les prosélytes « d'un système
athéistique que l'on prétend qui se répand assez...
Le langage de ces femmes est qu'il n'y a point de Dieu ;
que l'amour de la vertu seul suffit pour faire de bons
citoyens ; que l'homme ne doit pas avoir d'autre but,
et que si on les tourmente pour suivre cette manière de
penser, c'est une gloire pour elles ; il est beau de souffrir
pour la vertu ».

Nous connaissons très précisément le cas de la conversion philosophique de Mme Roland ; ses lettres nous
la font suivre mois par mois et parfois jour par jour.
A dix-sept ans, elle est pieuse encore et presque mystique ; elle se démontre à elle-même, longuement et
méthodiquement, sa croyance en empruntant ses
arguments à ses lectures, à Bossuet, à Fénelon, à Pascal.
Puis elle a une crise de doute ; son intelligence raisonnante est atteinte la première : « J'admire comme
Dieu m'attache à la religion par le sentiment, tandis
que l'esprit seul me la ferait rejeter ; je raisonne et je
doute, mais je sens et je me soumets ». Puis, tout en
raisonnant, et pour mieux raisonner, elle lit « tout Voltaire » et Boulanger, et le marquis d'Argens et Helvétius
et Raynal, même le *Code de la nature* de Morelly et
le *Système de la nature* de d'Holbach. Elle ne va pas
jusqu'à l'athéisme de Morelly et de d'Holbach. Elle
s'en tient à celui qu'elle ne lut qu'assez tard, mais qui
fut son vrai maître, à J.-J. Rousseau. La crise se précipite. « Je ne veux point rompre, quoique je ne croie
guère » ; et puis, elle ne croit plus du tout. Et elle se

démontre son incrédulité par les arguments de Voltaire,
d'Holbach ou Rousseau, comme elle s'était prouvé sa
foi par Pascal, Fénelon et Bossuet.

Il est probable que c'est à Paris surtout que l'incrédulité philosophique s'est répandue. Pourtant des
preuves nombreuses attestent qu'elle a gagné assez
rapidement et assez profondément la province. On lit
d'abord un peu partout, et même quand on est pieux,
les livres des philosophes. L'*Encyclopédie* est achetée
par des familles bourgeoises d'Angers, Laval, Agen.
On est au courant des querelles philosophiques. « La
thèse de l'abbé de Prades, écrit un correspondant de
Grosley, fait ici [à Noyon] autant de bruit qu'à Troyes ».
A Saint-Germain, Duveyrier se souvient avec mépris
du zèle théologique des maîtres et maîtresses de pension.
On fait argumenter des enfants de dix à douze ans,
« petits docteurs élevés à la dignité de sophistes ».
On imagine des controverses entre ces docteurs et des
doctoresses du même âge. Les garçons, qui crient plus
fort, sont vainqueurs, et, pour célébrer leur triomphe,
jouent à clignemusette, aux quatre coins et au cheval
fondu dans la chapelle. Au lieu de cette théologie
Duveyrier va vers la philosophie : « Croire ce que je
n'entendais pas me paraissait impossible ; affirmer que
je croyais sans entendre me semblait un mensonge
honteux et ridicule ; l'obligation qu'on m'en imposait
était un mystère plus impénétrable que tous les autres ».
Partout on se met à raisonner comme le jeune Duveyrier. M. de Conzié, l'ami de Rousseau, a, dans sa bibliothèque, cinquante-sept volumes « de Voltaire, Diderot
et leurs disciples ». A Langres, Diderot a rencontré
« quelques hommes bien décidés et bien nets sur le
grand préjugé ; et ce qui m'a fait un plaisir singulier,
c'est qu'ils tiennent un rang parmi les honnêtes gens ».
En Lorraine « les mauvais livres sont très répandus » :

la châtelaine de Sommerville est « une bégueule philosophe ». « Chaque petite ville a son parti de jeunes
philosophes ardents à l'impiété. A Vézelise, ils obligent
les prêtres du doyenné à transporter leur synode à
Sion pour ne pas être épilogués ». Les sermons ne sont
plus que « maximes philosophiques... point d'*Ave
Maria*, point d'Écriture sainte ni des pères... ».

Car la philosophie gagne le clergé lui-même. Non pas
seulement le haut clergé puissamment renté, ou les
abbés mondains, mais des prêtres sérieux, modérés, ou
de jeunes prêtres ou séminaristes. A Saint-Sulpice, on
réfute le Vicaire Savoyard, Buffon, les « fausses pensées
philosophiques de Diderot, et beaucoup d'autres pro-
ductions du même genre ». Mais les réfutations n'ont
pas toujours dû sembler satisfaisantes et l'abbé Baston
s'est laissé dire « que le philosophisme s'y était introduit ». L'abbé Legrand fait à Mme Roland une confession qui « ne ressemble pas mal à celle du Vicaire Savoyard » ; c'est lui qui lui apporte *La Nouvelle Héloïse*.
Un abbé de Bonnaire, oratorien, meurt à Troyes « déiste
solennel et notoire ». L'abbé Bouisset, à Bayeux, précepteur des enfants du baron de Fontette, est lié avec
d'Alembert, d'Holbach, Diderot. Dom Mulot, prieur
d'un couvent de bénédictins à Chartres, prononce un
sermon « où le nom du Christ ne fut pas prononcé » et il
est très fier d'avoir fait « digérer ce discours à un peuple
de cagots ». A Saint-Dié, un diacre lit *L'Esprit* pendant
une procession et à l'Église. Les séminaristes sont
presque tous « déistes et épicuriens ». Un séminariste
de Toul a « tout J.-J. Rousseau dans sa malle ».

Ces documents ne sont pas les seuls. Ils confirment
ce que d'Argenson croyait constater dès 1751. La
religion révélée n'est pas ruinée ; mais « elle est secouée
de toutes parts ».

CHAPITRE VI

L'INQUIÉTUDE POLITIQUE

L'ébranlement raisonné, réfléchi de la religion, était évidemment dangereux pour l'État. L'esprit critique, en ruinant le respect religieux, menaçait tous les autres respects et particulièrement le respect monarchique. La monarchie française n'a été vraiment condamnée que du jour où une part importante de la population ne l'a plus crue bienfaisante ou inévitable. La Révolution s'est faite dans les esprits ou dans un grand nombre d'esprits avant de se traduire dans les faits. Et l'on peut suivre très nettement les progrès de cette révolution d'opinion.

Évidemment, elle n'a pas été générale. En 1789, un grand nombre de Français qui n'étaient ni ignares ni stupides croyaient au roi et n'attendaient le remède à leurs misères que de la bonté et de la sagesse du roi. Jusque vers 1750, cet attachement de la nation à son roi est général et profond. La maladie qui, en 1744, met, à Metz, les jours du roi en danger fut très certainement une angoisse universelle et sa guérison sembla une résurrection. Cet amour est déjà moins vif lors de l'attentat de Damiens. Puis il passe assez vite à l'indifférence et au dédain. Mais il y a jusqu'au bout des fidèles obstinés et nombreux. Hardy déteste Maupeou et tous ceux qui renvoient les Parlements, mais il atteste son amour « pour la personne sacrée du roi » et n'y renoncerait pas « pour cent mille écus de rente ». Barbier, qui n'a pas le sens du respect, a la haine et l'horreur de tout ce qui ressemble à « un complot détestable de révolte ». Plus généralement, quand on lit les centaines de mémoires, journaux, livres de raison du XVIIIᵉ siècle, on voit le peu de place qu'y tiennent, exception faite pour quelques grands noms, les problèmes de politique générale ou même les curiosités politiques. Les gens vivent comme vivaient leurs pères, sans paraître croire qu'ils pourraient vivre autrement. Les querelles qui les intéressent sont des querelles locales qui mettent en cause les échevins, la construction d'une fontaine, les préséances dans une procession.

Pourtant même ceux qui ne raisonnent pas souffrent. Si l'on ne discute pas sur les raisons profondes des abus et sur la réforme de l'Etat, il faut bien sentir le poids de ces abus et s'apercevoir que l'Etat n'est pas parfait. « Il y a ici, écrit Barbier en 1760, une grande fermentation dans les esprits au sujet du gouvernement. Il faut convenir à la vérité que la disette et la rareté de l'argent, la misère des campagnes, la multiplicité des impôts, donnent lieu de penser qu'il y a déprédation dans l'administration des finances et qu'on ne sait comment s'en venger ». Ajoutons-y ce dont Barbier parlait plus haut, « les pilleries de tous les gens de la cour » et les pilleries, insolences ou plus simplement privilèges de tous les privilégiés. Il en devait naître, invinciblement, un sentiment de colère, et, comme le dit Barbier, de vengeance. Même les hommes respectueux et timorés tels que Hardy sont obligés de constater qu'on « gémit de voir impunis » des crimes comme celui du duc de Fronsac, enlèvement et viol, ou le premier crime public du marquis de Sade, et qu'on se révolte de voir pendre une jeune fille de vingt-deux ans pour un menu vol domestique. L'affaire du collier a son retentissement jusque dans le mémorial de Ph. Lamare, secrétaire du bénédictin dom Goujet. L'une des conséquences les plus certaines est que, si beaucoup continuent à respecter ou vénérer le roi, lorsqu'il a des vertus comme Louis XVI, il n'y a plus personne pour respecter la noblesse. La haute noblesse étale ses vices, ses adultères, ses maîtresses, son luxe insolent et besoigneux, sa curée des pensions et des bénéfices. La noblesse de province très souvent se ruine, déchoit, tombe aux plus obscures misères et aux plus basses besognes. On se résigne donc aux privilèges ; il n'y a plus personne, hors les privilégiés, pour croire qu'ils soient une récompense et un droit.

Surtout on ne peut pas se résigner à la famine et à l'émeute. Il y a toujours eu des famines en France et des émeutes, même au plus beau temps de l'unité et de l'ordre monarchiques. On se bat, sous Louis XIV, dans les rues de Paris pour des enlèvements d'enfants par la police, ou pour le pain cher. Mais, vers 1750, les famines et les révoltes de la faim se multiplient. On n'est peut-être pas plus misérable. Il est assez difficile de démontrer qu'on avait, en moyenne, à travers la France, plus ou moins de pain, plus ou moins de vexations. Les enquêtes vraiment précises sont, jusqu'ici, toutes locales et parfois contradictoires. Mais on était certainement moins résigné, plus prompt à prendre la hache et la faulx et à piller. D'une année à l'autre, d'un mois à l'autre, le prix du pain subissait les variations les plus violentes, passait d'un sol et demi la livre à cinq sols, ou inversement (un franc cinquante le kilogramme, à cinq francs de notre monnaie). Alors la moitié, parfois, ou même les deux tiers de la popula-

tion des villages étaient réduits à la mendicité. On
mangeait de l'herbe ; puis l'on s'attroupait et l'on courait sus aux meuneries, boulangeries, magasins du bourg
et de la ville. Partout, à Paris, Versailles, Caen, Valenciennes, Strasbourg, Toulouse, Clermont, Dijon, Nancy,
Arles, Agen, Tours, Cherbourg, Rouen, Grenoble,
Cette, etc., en cent endroits, les livres de raison sont
remplis du récit apeuré de ces sursauts populaires.
Et ce ne sont plus seulement des fureurs de ventres
vides, oubliées dès qu'on n'a plus faim. Les livres de
raison s'épouvantent aussi bien des placards que les
révoltés affichent et des principes que proclament ces
placards. Il ne s'agit plus de ces couplets, vaudevilles,
épigrammes ironiques et insolentes qui se multiplient
au XVIIIe siècle et qui ont fait dire qu'en France tout
finit, paisiblement, par des chansons. Ce sont vraiment
des défis et l'annonce de la révolte réfléchie et concertée.
On doit en lacérer, en arracher partout, à Paris, au Lou-
vre même, aux portes des églises ou du Luxembourg,
à Versailles « et jusque dans la chambre du roi », à
Caen, à Grenoble, à Troyes, etc... Ils sont « affreux »
et « régicides ». On affiche à Grenoble : « O France !
ô peuple esclave et servile ! En méprisant les lois, on
t'arrache tes biens pour t'en former des chaînes. Le
souffriras-tu, peuple malheureux ? ». Et on peut lire
à Troyes : « Nous demandons notre pain de chaque
jour... il vaut mieux vivre sans la loi que sans pain.
Tous du même accord ! »

La querelle des Parlements manifesta violemment
cet état d'inquiétude. Les Parlements n'étaient ni
révolutionnaires, ni républicains, ni même réformateurs.
Ils ne défendaient, au fond, que leurs privilèges et leur
prestige. Mais ils étaient menacés par les ministres et
les gens du roi ; ils luttaient ; ils souffraient. Les séances
du Parlement furent suspendues en 1753 et les parle-

mentaires exilés ou emprisonnés. Puis, après des alter-
natives de triomphe et de défaite pour la volonté royale,
Maupeou supprimait tous les Parlements, en 1771,
et les remplaçait par des conseils supérieurs. A travers
toute la France, ou à peu près, on regrette les anciens
Parlements, on bafoue les conseillers Maupeou, on résiste
sourdement à leur autorité. Quand les anciens Parlements rentrent, à la mort de Louis XV, c'est une
explosion de joie, de fêtes solennelles, de cortèges et
de feux d'artifice.

Dans toutes ces inquiétudes, ces luttes, ces révoltes,
il n'y a à proprement parler rien qui soit directement
philosophique. Ni les mécontents, ni les séditieux,
ni leurs placards n'allèguent Montesquieu, Voltaire,
l'*Encyclopédie* ou J.-J. Rousseau. Même s'ils les avaient
lus, ils auraient été assez embarrassés pour les citer.
Nous avons montré que ni les uns ni les autres de ces
philosophes n'étaient des révolutionnaires et qu'ils
s'étaient tous profondément défiés du gouvernement
ou même des libertés populaires. Il est très certain que
la Révolution a été, pour une part, la protestation
aveugle de la misère et la révolte spontanée de la souffrance. Pourtant la philosophie y a joué son rôle précis.
Elle n'a enseigné ni la Révolution ni la démocratie.
Mais elle a transformé les esprits ; elle les a déshabitués
du respect et de la tradition ; elle les a rendus aptes
à réfléchir sur la révolution et la démocratie. Elle a
pour ainsi dire défriché des terres où pouvaient germer
de nouvelles récoltes.

Un exemple caractéristique est fourni par l'agitation
de la noblesse normande en 1771. Elle fut très vive.
Les nobles n'étaient assurément pas des révolutionnaires, ni même des réformateurs. Ils se refusaient à
payer l'impôt du vingtième (le Tiers-État reste d'ailleurs en dehors du mouvement). Ils n'étaient pas non

plus très décidés. Dès que le pouvoir sévit et emprisonne
les meneurs, c'est à qui fera les plus plates supplications.
Pourtant ces nobles laissent dire qu'ils ont avec eux
le peuple, dont la misère était alors profonde. Ils im-
priment des pamphlets qu'un Morelly ou un Sylvain
Maréchal auraient pu signer : « Écoutons à présent le
monarque, c'est-à-dire l'agent de la nation, dire à ces
hommes dont il tient son autorité : « Je ne veux pas
de résistance ; c'est-à-dire, je ne veux pas que vous
pensiez... Je ne veux pas que vous soyez hommes ;
encore moins citoyens, mais parfaitement esclaves ».

L'accueil fait à la révolution américaine reflète
aussi, curieusement, l'évolution à demi-consciente des
esprits et la pénétration dans la politique des idées
philosophiques. Au début, l'opinion publique française
n'est pas spontanément conquise à la révolution américaine ; elle est d'ailleurs puissamment travaillée par
la propagande anglaise. C'est le pouvoir, c'est le ministre
Vergennes qui calculent les bénéfices politiques d'une
victoire américaine, qui travaillent l'opinion et, pour
une part, la décident. Mais dès qu'elle est décidée, elle
sympathise non pas seulement avec un peuple contre
un autre peuple, mais avec des idées, avec une philosophie politique. Le philosophe Morellet ne comprenait
pas cet enthousiasme « chez un peuple qui jouit de la
plus belle constitution connue sur la terre » ; mais il
constatait que ce peuple « veut *toaster* à la liberté des
Américains, à la liberté de conscience, à la liberté du
commerce ». Le succès de Franklin, ce qui fait de lui
le héros des salons, c'est qu'il apparaît comme un
« philosophe » qui unit l'esprit de Voltaire à la simplicité de Rousseau. Les âmes sensibles, disciples de Rou-
seau, se mettent d'accord avec les « raisonneurs » de
la liberté. On s'attendrit sur la vie évangélique des
Quakers, sur le bonheur paisible et laborieux des défri-

cheurs de forêts vierges. Et cet enthousiasme, où se
mêlent l'amour des idées et les élans du cœur, gagne
bientôt la nation tout entière. Toute la jeune noblesse
veut partir avec La Fayette combattre pour un peuple
qui ignore la noblesse, qui proclame l'égalité et dont
la constitution sera la condamnation de leurs privilèges.
Les collégiens se passionnent pour la cause américaine.
Au collège du Plessis on est « républicain » avec La
Fayette. Le P. Petit, au collège de Juilly, entretient
ses élèves « autant de la guerre d'Amérique et des
exploits de Washington et de La Fayette, que des
odes d'Horace et des oraisons de Cicéron ». Au couvent, dit Mme de Fars-Fausselandry, « la cause des
Américains semblait la nôtre ; nous étions fiers de leurs
victoires ». Ni la bourgeoisie ni le peuple ne les ignorent.
Le mémorial de Ph. Lamare les note. A Clermont-Fer-
rand on célèbre par des réjouissances publiques la
déclaration d'indépendance. Un paysan de Provence
nommé Gargaz vient à Paris, à pied, pour se jeter aux
pieds de Franklin. Et l'une des premières sociétés
où s'agitèrent les idées révolutionnaires est la Société
des amis des noirs, qui s'inspire des doctrines des Quakers.

D'autres témoignages montrent qu'on prend peu à
peu l'habitude d'associer réformes, liberté et philosophie.
C'est évident pour tous ces salons « philosophiques »
où l'on écoute Franklin, Raynal, Turgot, Necker,
Mably, Condorcet. C'est certain même pour toute cette
noblesse qui se presse aux lectures et à la représentation
du *Mariage de Figaro*, chez M. de Vaudreuil, chez
M. de Liancourt, chez Mme de Vaines, chez M. d'Anzely,
etc. C'est certain même pour la province où l'on semble
très au courant de tout ce que font et de tout ce que
publient les philosophes. Des Nouvelles à la main,
fort impertinentes, circulent à Bordeaux, Lectoure et

ailleurs. Les Nouvelles à la main que reçoit le gouverneur de Normandie, et qu'il ne garde pas pour lui, signalent le succès des *Observations sur l'Histoire de France*, de Mably, *L'Ingénu*, de Voltaire, *Bélisaire*, l'*Histoire philosophique*, de Raynal, *L'Ami des lois*, le *Catéchisme du citoyen*, les *Inconvénients des droits féodaux*, tout ce qui, en demandant des réformes, développe des idées et parle au nom des principes.

« Je vous avouerai, écrit Morellet en juin 1789, que je trouve notre Tiers-État, dont j'ai été et je suis toujours le défenseur, un peu outré dans ses vues et dans ses principes ». Avant 1789, le Tiers-État et la Noblesse même avaient, en politique, des vues et des principes. S'ils n'étaient pas révolutionnaires, ils étaient, pour une part, philosophes.

CONCLUSION

Si l'on peut croire qu'il y a une fin au XVIIIe siècle, et que le bouleversement de la Révolution est vraiment quelque chose de nouveau, il n'y a pas par contre de commencement. L'esprit philosophique apparaît dès le XVIIe ; et il y a des ressemblances certaines entre un Saint-Evremond ou un Fontenelle et un Duclos ou un Chamfort. Pourtant, il y a bien, de 1670 à 1770, une transformation profonde de la pensée française. Dans leur ensemble, les contemporains de Boileau, de Racine et de Bossuet auraient été comme étrangers à ceux de Bernardin de Saint-Pierre, de Raynal et de Marmontel. Même ceux qui défendent en apparence la même cause, qui résistent à la philosophie et qui détestent les hérésies de Rousseau, pensent souvent bien plus comme Rousseau ou même comme Voltaire que comme Pascal ou comme Bossuet. Sur la raison, sur l'observation, sur l'expérience, nous avons vu très souvent un abbé Pluche, un abbé Nollet, un abbé Fromageot parler comme un Buffon ou un Diderot. Un des livres les plus célèbres de l'apologétique catholique, à la fin du XVIIIe siècle, est un ouvrage de l'abbé Gérard, *Le Comte de Valmont ou les égarements de la raison*, dix fois réédité. Telles de ses gravures et leurs légendes, « La loi naturelle ou l'empire de la raison, — A l'amour de l'ordre et du bien commun, — La contemplation de la nature », pourraient être insérées, sans changer un seul détail.

dans un livre de Delisle de Sales, de J.-J. Rousseau,
voire de Voltaire ou de Diderot.

Dans tous les cas ces hommes de la fin du XVIIIe siècle
sont infiniment plus proches de ceux de la fin du XIXe que
de ceux de la fin du XVIIe. On peut dire qu'ils ont connu
toutes les formes de notre pensée contemporaine,
et même qu'ils en ont mesuré les conséquences, saisi
les contradictions. Ils ont poussé l'esprit d'examen,
exercé les droits de la critique rationnelle, jusqu'à
leurs limites les plus audacieuses. S'ils n'ont pas eu
de la critique historique, de la reconstruction du
passé une idée aussi nette et aussi méthodique que
les historiens et les exégètes du XIXe siècle, ils en
ont compris du moins les exigences essentielles et
ébauché les méthodes. Ils ont vu, avec la plus grande
clarté, que la vérité logique et abstraite, l'accord de
l'esprit avec lui-même, la raison géométrique et mathématique étaient une construction humaine et qu'elles
n'étaient pas nécessairement toute la vérité ni même
peut-être la vérité. Ils ont compris, aussi nettement
que nos savants modernes, ce qu'était la vérité expérimentale, les lois qui s'induisent des faits et de l'expérience et non plus celles qui se déduisent du raisonnement. Systèmes abstraits, hypothèses, lois expérimentales, ils ont discerné comment tous ces efforts d'explication se complétaient ou se contredisaient. Ils ont
compris en même temps que la raison et la science
n'enfermeraient jamais tout l'univers. Le déroulement
des vérités rationnelles et des vérités expérimentales
nous entraîne à l'infini sur un chemin sans borne, et
qui s'éloigne de plus en plus des vérités nécessaires à
la vie. Si précises et si nombreuses que soient les raisons
de la raison et les lois de nos sciences, elles ne peuvent
nous donner l'explication de notre destinée, nos raisons
d'agir, le secret du bonheur. Nous ne pouvons apercevoir

ces raisons, et ce secret qu'à une autre lumière, celle du « sentiment », du « cœur », nous disons aujourd'hui de l'intuition. C'est le sentiment qui nous révèle Dieu, la prière, la morale, la bonté, l'humanité. Et lorsque la raison ou l'expérience scientifique ne sont pas d'accord avec le cœur, ce sont la raison et l'expérience qui ont tort.

Raison logique, vérité expérimentale, intuition du cœur, ce sont les trois forces qui sollicitent notre pensée moderne et que nous tâchons toujours d'ordonner ou d'accorder.

L'histoire de la pensée française au XVIIIᵉ siècle est donc une histoire complexe et qu'on a eu trop souvent le grand tort de simplifier. Elle est complexe jusque dans les âmes mêmes. Un bon nombre des esprits moyens ou médiocres ont mêlé confusément, et sans bien s'y reconnaître, souvent sans désirer s'y reconnaître, des tendances divergentes ou même contradictoires. Le plus souvent, ils n'ont été ni « tout Voltaire », ni « tout Rousseau ». Tour à tour, les *Songes philosophiques* ou le *Bonnet de Nuit* d'un L.-S. Mercier sont des contes voltairiens ou des effusions et méditations, de la « sensibilité ». Un Dubois-Fontanelle est persécuté pour une *Éricie ou la Vestale* qui est une pièce contre « l'infâme » ; et il écrit, dans un style d'ailleurs voltairien, des *Aventures philosophiques* qui sont une moquerie de Voltaire, Helvétius, d'Holbach, Montesquieu. La complexité est plus grande encore si l'on étudie non plus les individus, mais les courants d'opinion. Il y a assurément une évolution dans l'histoire de la pensée française au XVIIIᵉ siècle. Jusque vers 1740, on est plutôt raisonneur. De 1740 à 1760, les sciences expérimentales achèvent leur triomphe. A partir de 1762, les âmes sensibles s'attendrissent et s'exaltent. Mais l'esprit expérimental commence dès la fin du XVIIᵉ siècle. Il y a de la

« sensibilité » dès 1740. Jusqu'à la fin du siècle, la raison raisonnante, la vérité abstraite, les systèmes généraux conservent du prestige. L'ardeur des âmes sensibles n'impose jamais silence aux ironies de la critique voltairienne. S'il y a soixante-douze éditions de *La Nouvelle Héloïse*, de 1762 à 1800, il y en a plus de cinquante de *Candide*, de 1758 à la Révolution. La pensée française dans la deuxième moitié du XVIIIe siècle n'est ni rationnelle ou philosophique, ni scientifique ou expérimentale, ni sensible ou mystique. Elle est tout cela à la fois, selon les milieux ou les gens, et parfois dans les mêmes milieux et chez les mêmes gens.

Elle l'est enfin non pas chez quelques-uns, non pas sans doute chez tous, mais chez beaucoup. L'intelligence n'a pas seulement conquis ses droits sociaux et le respect de presque tous contre les dédains des gens bien nés et l'hostilité des gens en place. Elle est devenue un bien commun. Non pas, si l'on veut, qu'il y ait beaucoup plus de gens instruits en 1770 qu'en 1670 ; la preuve rigoureuse n'est pas faite, et elle est difficile à faire. Mais les gens instruits vers 1670 sont le plus souvent d'éternels élèves ; ils pensent pendant leur vie comme on les a appris à penser jusqu'à vingt ans. Vers 1770, il y a tant de façons de penser, si neuves, si diverses, si tentantes qu'on ne peut plus rien imposer ; il faut bien laisser un choix. Non plus dans les milieux littéraires ou mondains, mais dans tous les milieux, non plus seulement à Paris, mais dans toute la France, toutes les routes de la pensée moderne sont ouvertes, et pour tous.

BIBLIOGRAPHIE

Travaux d'ensemble

A. DE TOCQUEVILLE. *L'ancien Régime et la Révolution*, 1850. — TAINE. *Les Origines de la France contemporaine*. TOME I, *L'ancien Régime*, 1876. — CH. AUBERTIN. *L'Esprit public au* XVIIIe *siècle*, 3e éd., 1889. — M. ROUSTAN. *Les philosophes et la Société française au* XVIIIe *siècle*, 1906. — G. LANSON. *Origines et premières manifestations de l'esprit philosophique* (Revue des Cours et Conférences, 1908-1910). — H. SÉE. *L'évolution de la pensée politique en France au* XVIIIe *siècle*, 1925. — P. TRAHARD. *Les maîtres de la sensibilité française au* XVIIIe *siècle*, 1931-1933, 4 vol. — D. MORNET. *Les origines intellectuelles de la Révolution française (1715-1787)*, 1933. — P. HAZARD. *La pensée européenne au* XVIIIe *siècle de Montesquieu à Lessing*, 1946. — P. VERNIÈRE. *Spinoza et la pensée française avant la Révolution*, 1954. — L. G. CROCKER. *An age of Crisis*, 1959. — R. MAUZI. *L'idée du Bonheur au* XVIIIe *siècle*, 1960. — P. BARRIÈRE. *La vie intellectuelle en France*, 1961.

Ire partie : Chapitre premier

R. NAVES. *Le goût de Voltaire*, 1938. — H. POTEZ. *L'élégie en France avant le romantisme*, 1898. — H. RODDIER. *L'abbé Prévost*, 1955. — Cl.-E. ENGEL. *Le véritable abbé Prévost*, 1957.

Chapitre II

P. DE SÉGUR. *Le Royaume de la rue Saint-Honoré* : *Mme Geoffrin et sa fille*, 1897. *Julie de Lespinasse*, 1906. — L. PEREY et G. MAUGRAS. *Mme d'Épinay*, 1881-1883. — G. LARROUMET. *Marivaux*, 1882. — F. DELOFFRE. *Marivaux et le Marivaudage*, 1955.

2e partie : Chapitres I et II

P. HAZARD. *La crise de la conscience européenne*, 1935. — R. MERCIER. *La réhabilitation de la nature humaine* (1700-1750), 1960. — G. LANSON. *Voltaire*, 1906. — R. NAVES. *Voltaire*, 1942. — R. POMEAU. *La religion de Voltaire*, 1956 ; *Voltaire par lui-même*, 1955. — L. DUCROS. *Diderot*, 1894. — *Les Encyclopédistes*, 1900. — P. GROSCLAUDE. *Un audacieux message :* *l'Encyclopédie*, 1951. — J. BERTRAND. *D'Alembert*, 1899. — A. KEIM. *Helvétius*, 1907. — J.-P. BELIN. *Le mouvement philosophique de 1748 à 1789*, 1913. — A. FEUGÈRE. *L'abbé Raynal*. 1922. — A. LICHTENBERGER. *Le socialisme au* XVIIIe *siècle*, 1895.

3e partie : Chapitres I, II et III

D. MORNET. *Les sciences de la nature, en France, au* XVIIIe *siècle*, 1911. — J. DEDIEU. *Montesquieu*, 1913 ; *Montesquieu, l'homme et l'œuvre*, 1943. — P. BARRIÈRE. *Un grand provincial :* *Montesquieu*, 1946. — L. ALTHUSSER. *Montesquieu. La politique et l'histoire*, 1959. — G. WEULERSSE. *Le mouvement physiocratique en France, de 1756 à 1781*, 1910-1959, 3 vol. — E. FAGUET, *Politique comparée de Montesquieu, Voltaire et J.-J. Rousseau*. 1902.

4e partie : Chapitre I, II et III

E. FAGUET. *Vie de Rousseau ; Rousseau penseur ; Rousseau artiste*, 1911-1913, 3 vol. — P.-M. MASSON. *La religion de J.-J. Rousseau*, 1916. — P. BURGELIN. *La philosophie de l'existence de J.-J. Rousseau*, 1952. — D. MORNET. *Édition de la Nouvelle Héloïse*. (Grands Écrivains de la France, 1925) ; *Le Romantisme en France au* XVIIIe *siècle*, 2e édition, 1925 ; *Rousseau* 1950. — F. BALDENSPERGER. *Études d'histoire littéraire*. 1907-1910. — P. VAN TIEGHEM. *Ossian en France*, 1917 ; *Le Préromantisme*, 1924-1948, 3 vol. — A. MONGLOND. *Le Préromantisme français*, 1930, 2 vol. — L. BÉCLARD. *L.-S. Mercier*, 1903.

5e partie

HATIN. *Bibliographie historique et critique de la presse française*, 1860. — J.-P. BELIN. *Le commerce des livres prohibés à Paris de 1750 à 1789*, 1913.

INDEX DES NOTICES SUR LES AUTEURS CITÉS

TABLE DES MATIÈRES

Imprimé en France à l'Imprimerie Nouvelle, Orléans, en février 1962.
O. P. I. A. C. L. 31.0427.
Dépôt légal effectué dans le 1er trimestre 1962.
Date du 1er Dépôt légal : 26 novembre 1926.
Nº d'ordre dans les travaux de la Librairie Armand Colin : nº 2609.
Nº d'ordre dans les travaux de l'Imprimerie Nouvelle, Orléans : nº 4577.

COLLECTION ARMAND COLIN

dirigée par Paul Montel
de l'Académie des Sciences

■ Liste par 11 sections
■ Liste par noms d'auteurs

I

Philosophie

CHEF DE SECTION :

Jean Hyppolite, Professeur au Collège de France.

II

Langues et Littératures

CHEF DE SECTION :

René Pintard, Professeur à la Faculté des Lettres de l'Université de Paris.

III

Histoire et
Sciences économiques

CHEF DE SECTION :

Pierre Renouvin, Membre de l'Institut, Doyen honoraire de la Faculté des Lettres de l'Université de Paris.

4

IV

Géographie

CHEF DE SECTION :

André Cholley, Directeur de l'Institut de Géographie
de l'Université de Paris.

V

Mathématiques

CHEF DE SECTION :

Paul Montel, de l'Académie des Sciences.

7

VI

Physique

CHEF DE SECTION :

René Lucas, Directeur de l'École Supérieure de Physique et de Chimie de la Ville de Paris.

VII

Chimie

CHEF DE SECTION :

**Georges Champetier, Membre de l'Institut,
Professeur à la Faculté des Sciences de l'Université
de Paris.**

VIII

Biologie

CHEF DE SECTION :

Roger Heim, Membre de l'Institut, Directeur du Muséum d'Histoire Naturelle.

IX

Droit

CHEF DE SECTION :

Robert Besnier, Professeur à la Faculté de Droit et des Sciences Économiques de Paris.

X

Mécanique et électricité industrielles

CHEF DE SECTION :

Pierre Ailleret, Directeur des Services d'Études à l'Électricité de France.

XI

Génie Civil

CHEF DE SECTION :

Maurice Schwartz, Inspecteur Général des Ponts et Chaussées.

Les chiffres en maigre indiquent le numéro d'ordre dans la collection, les chiffres en gras renvoient à la section.

P. 6122

14009. Hemmerlé, Petit et Cie. 10-64.